NUNCA CAMINARÁS SOLO

LA REVOLUCIÓN DE KLOPP EN LIVERPOOL

**Gonzalo García, Pedro Servin
y Martín Olivé**

Nunca caminarás solo. La revolución de Klopp en Liverpool
Gonzalo García; Pedro Servin; Martín Olivé.
1a ed.:
LIBROFUTBOL.com, 2019.
124 páginas; 12 x 19 cm.

ISBN 978-987-3979-88-0

1. Fútbol.
CDD 796.334

NUNCA CAMINARÁS SOLO
LA REVOLUCIÓN DE KLOPP EN LIVERPOOL
de Gonzalo García, Pedro Servin y Martín Olivé

Diseño de cubierta: Luciano Medvetkin
Maquetación: Luciano Medvetkin

1ª edición: enero 2020
ISBN 978-987-3979-88-0

LIBROFUTBOL.com
Olga Cossettini 1112 - 8F - Ciudad de Buenos Aires, Argentina
ediciones@librofutbol.com - +541145068805

Índice

5

Agradecimientos

Gonzalo: *a mi amigo Lucio Stortoni por su colaboración y ser consulta permanente.*

Pedro: *a Fernando Salceda por la ayuda en las traducciones en alemán.*

Martín: *a mi madre y a mi padre, en cualquier lugar del cosmos donde se encuentren sus almas, por el apoyo de toda la vida.*

Queremos agradecerle a Jürgen Klopp, quien nos brindó un motivo para volver a emocionarnos como niños. En un fútbol que cada día es más un negocio para unos pocos, plagado de especuladores, sus equipos nos dieron un motivo para volver a sentir, para ser nuevamente soñadores y alegres ilusos viendo un partido. En definitiva, por alegrarnos un poco la existencia durante 90 minutos.

Paso 1

Ingresar a Google Play o Apple Store y descargar la App lectora de QR.

Paso 2

Instalar y abrir la App en tu dispositivo móvil.

Paso 3

Escanear el código QR para poder acceder al contenido exclusivo.

Prólogo

Era febrero de 2019, la impresionante consecusión de victorias que dejaban a Liverpool en la punta de la liga relegando al todopoderoso Manchester City otrora centenario era tan reciente como efímera, puesto que el castillo de naipes parecía comenzar a desvanecerse. Uno de nosotros envió un mensaje de texto al resto que decía: "Si alguien debe escribir el primer libro sobre Liverpool de Klopp en habla hispana, somos nosotros". Así comienza esta travesía.

Tras meses de reuniones buscando acotar el objeto de estudio, de pergeñar ideas para contar lo que nos quemaba el pecho, decidimos ser nosotros mismos. En estas páginas se encontrarán un recorrido por distintos aspectos del entrenador alemán y del conjunto inglés, contado de una manera coral, ecléctica, personal.

La identificación con este proceso de Liverpool es total. Desde el juego que supo ser frenético, pero que terminó adoptando compases tranquilos sin perder su esencia. Hasta los valores necesarios para ser parte del grupo. Los goles de Firmino, los quites de Van Dijk, las asistencias de Alexander Arnold, las atajadas de Alisson. Pero también Sadio Mané donando dinero para construir escuelas y hospitales en Senegal, recorriendo Bambali para ver las obras. Mohamed Salah rechazando una mansión, pidiendo que donen el dinero para construir una escuela industrial. Los abrazos de Klopp saludando a cada empleado.

No se puede entender el crecimiento exponencial del equipo sin pensar en su faceta humana. Una edificación silenciosa que explotó en las manos de todos los rivales antes de que se pudieran dar cuenta. Liverpool está creando una escuela, un punto de referencia para las próximas generaciones. Sin marcar época con su juego, lo hará desde el lado afectivo. Será necesario revisar las formas de confraternidad que se han forjado bajo el calor de un grupo homogéneo, desde la cúpula hasta la base de la pirámide de responsabilidades.

Capítulo I

JÜRGEN Y EL PUEBLO

"Cuando camines a través de la tormenta mantén tu frente muy en alto y no tengas miedo a la oscuridad. Al final de la tormenta hay un cielo dorado y la dulce melodiosa canción de la alondra. Continúa caminando a través del viento, continúa caminando a través de la lluvia. Aún si tus sueños son pisoteados y golpeados. Continua caminando, continúa caminando con esperanza en tu corazón. Y de esa forma nunca caminarás solo."

You never walk alone, de Oscar Hammerstein II y Richard Rodgers

Liverpool concluía una estruendosa victoria ante Huddersfield para quedar momentáneamente en la primera posición de la Premier League 2018/19, a falta de dos fechas. Deambulando por el campo de juego se encontraba un hombre de gorra y lentes con una sonrisa iluminadora: era Jürgen Klopp. Una cámara de televisión lo perseguía incansablemente cuando decidió señalar el lente y, con el mismo dedo índice, negar. Lo hizo dos veces. Luego abrió grande su palma izquierda para saludar a la afición. Inesperadamente lanzó tres puñetazos al aire para que su público grite simétricamente entre acción y acción. Ya no era el entrenador sino el director que dirigía una orquesta. El mensaje fue claro: no es para las cámaras, es para ustedes.

La globalización ha irrumpido en diversas esferas de la vida cotidiana, modificando prácticas y costumbres de las poblaciones. El fútbol, deporte que despierta efervescencia masiva, no quedaría exento. El proceso inflacionario del negocio que detenta el fútbol es astronómico, siendo uno de los mercados que más dinero percibe. En la vorágine del negocio se desfiguran valores que otrora han construido los pioneros. El respeto, la empatía, la representación. Todo debe pasar por el tamiz de los beneficios económicos. Las camisetas cambian de color cada temporada, los equipos de escudos, los estadios de nombres y los futbolistas pasean por instituciones como si de locales de centro comercial se tratase. En este contexto es evidente que el vínculo con la comunidad que representan se difuminó, desde las gradas se examina cada paso de sus futbolistas con descreimiento, porque más temprano que tarde se irán. Es mejor que lo haga rápido para que no duela el desengaño. Ya no juega uno de los nuestros, por lo tanto no juega para nosotros.

Cada regla tiene excepciones que la confirman. Y allí está Klopp, el hombre que deja huella en cada ciudad que pisa. Como aquella semana de despedida que le dieron en Mainz cuando, luego de siete temporadas, decide dejar el cargo de entrenador. La ciudad de los carnavales sabe cómo hacer fiestas. Se va con el clásico *You never walk alone* entonado al unísono por la afición. Todos lloran. "La próxima vez trabajaré con un poco menos de mi corazón", dijo. Una promesa que nunca podrá cumplir. En la actualidad, la institución quedó atravesada por la estela de Jürgen. Los teléfonos no dejan de sonar para encontrar testimonios acerca del hombre que logró milagros allí. Acaso, con razón, los dirigentes están bastante cansados y decidieron el silencio.

La ruta de Klopp siguió hasta llegar a Hamburgo, puesto que sería el conductor del mítico HSV. No obstante, los cánones del fútbol moderno pretendían expulsarlo del sistema. Los directivos del club dudaban de su capacidad por la apariencia característica: chándal, gorra, indumentaria deportiva. Lo que debería ser normal en un sujeto que tiene una vida deportiva activa. La balanza de la moral se terminó de desequilibrar cuando se presentó fumando a la entrevista. Tiempo después, Klopp comentaba que esa colilla debería estar en una vitrina, pues gracias a ella llegó a Dortmund.

Hacia allí fue. A una institución que llevaba chandal, gafas e indumentaria deportiva. A un espacio donde podía ser él sin disculparse. A una comunidad simbiótica.

Siete años dedicó a reestructurar desde las bases a una institución que estaba en el abismo económico y la mediocridad deportiva. En lo estrictamente burocrático ganó dos Bundesligas, dos Supercopas y una DFB Pokal, además de llegar a una histórica final de UEFA Champions League ante Bayern Münich. Pero su estadía allí no se reduce a cuánto metal pueden ostentar en sus vitrinas. Dice mucho más el mosaico de *Danke Klopp* que desplegaron los aficionados en un Signal Iduna Park colmado, en las lágrimas que recorrían las mejillas de Klopp y los suyos mientras se entonaba, una vez más pero en diferente institución, el *You never walk alone*.

La mirada política que tiene Klopp, según sus mismas declaraciones, abarcan una fuerte tendencia a pensamientos y a prácticas de izquierdas, al descreimiento para con las fuerzas de derecha y a un estado de bienestar que abrace a la ciudadanía. Reivindica y empodera a su clase social en simultáneo a su lucha contra los avances de intolerancia y xenofobia. Incluso tomando postura acerca del Brexit, se puede percibir su línea de pensamiento tendiente a la unión: "La Unión Europea no es perfecta, pero fue la mejor idea que tuvimos. La historia siempre ha demostrado que cuando estamos juntos podemos solucionar problemas. Cuando nos separamos empezamos a luchar. No hubo un solo momento en la historia donde la división crea el éxito. Entonces, para mí, el Brexit todavía no tiene sentido". Desde sus inicios como entrenador, incluso antes, buscó cercanía con la afición. Tal vez por esa búsqueda se lo perciba como un hombre terrenal. Entrar a bares a beber cerveza con las personas mundanas, o practicar juegos con los ancianos de Liverpool, han sido acciones, en su consecución, que permearon en aquellos que no creían, que marchaban antes del final.

La ciudad de Liverpool es musicalmente destacada por ser el epicentro de la gestación de *The Beatles*. En *The Cavern Club* realizaban sus conciertos para los jóvenes entusiastas. No obstante, allí también tocaban *Gerry and the Pacemakers*. Estos, sin ser más grandes que Jesús, lograron llegar al *mainstream* de la música en 1964 con su hit *You never walk alone*, un cover sacado del musical *Carousel* (Oscar Hammerstein II y Richard Rogers, 1945). En Anfield Road, previo a los encuentros, los aficionados coreaban las canciones más sonadas del momento hasta que esta llegó. La interpretaron como un himno local y se apropiaron de los simbolismos de lealtad y esperanza. Cada estrofa sería una fiel compañera que acompañaría desde el Liverpool moderno de Bill Shankly hasta la actualidad. Tanto impacto fue el que tuvo, que en diversos estadios imitaron el grito.

I. I Liverpool: El club y la ciudad

"No voy a construir un palacio, voy a construir un campo para la clase obrera", proyectó Archibald Leitch, el creador de la mítica tribuna *The Kop*. Allí la clase obrera encontró el lugar perfecto para distenderse luego de una ardua jornada laboral. El fútbol era motivo de debate en los pubs mientras corrían las jarras de cerveza para sobrevivir en un mundo lleno de injusticias.

The Kop debe su nombre porque la ladera donde fue levantada recuerda a Spion Kop, una colina en Sudáfrica donde, en plena guerra entre los Boers y Gran Bretaña, un grupo de soldados ingleses fue masacrado por el fuego enemigo, en lo que fue una de las pocas derrotas del ejército de la reina.

En ese campo, quien se erigió como líder de la clase obrera fue Bill Shankly. El escocés dirigió entre 1959 y 1974, logrando llevar al club de la segunda división a ser potencia continental. Sin embargo, su marca trasciende lo deportivo, ya que fue un catalizador del sentimiento popular. Siempre decía que los jugadores eran unos privilegiados de poder jugar para los hinchas de Liverpool. Como socialista, logró impregnar su ideología en la cultura del club: "El socialismo en el cual creo, es todo el mundo trabajando para un mismo objetivo y todo el mundo teniendo parte de la recompensa. Así entiendo el fútbol y así entiendo la vida".

Peter Moore, actual director ejecutivo, explicó que todavía se preguntan "¿Qué haría Bill?" a la hora de tomar decisiones. "Liverpool es una ciudad socialista, de tradición obrera, muy unida al puerto. Una vez fue el puerto con más tráfico del planeta. Eso ha cambiado pero queda el sentido de la unidad y de la insularidad, en cierta medida. La gente muchas veces se ve como *liverpolita*, no necesariamente como ingleses. Es extraño. Es, como dicen los norteamericanos, un círculo de carretas. Esa cultura se fortalece con un sentimiento que Shankly expresó en la idea de trabajar juntos en el campo", expresó Moore.

Comprometidos con distintas causas sociales, los fans de Liverpool nunca tuvieron pudor en expresarlas en la cancha: desde banderas de Catalunya en apoyo a su independencia o solicitando la liberación del ex presidente de Brasil, Luiz Ignacio Lula Da Silva. En 2016, unos 10.000 hinchas se retiraron de Anfield Road en el minuto 77 como protesta por el aumento del valor de las entradas a 77 libras esterlinas. "Amamos al equipo, odiamos los precios", decía un panfleto que repartieron explicando los motivos.

Como ciudad fabril sufrió las políticas de desindustrialización y desregulación del gobierno liberal de Margaret Thatcher. El descontento aumentó con el desempleo -llegó al 20% en 1985- y en Anfield Road comenzaron a verse más protestas. A Thatcher no le gustaba Liverpool y a Liverpool no le gustaba

Thatcher. Ese odio recíproco alcanzó su punto máximo el 15 de abril de 1989, cuando se enfrentaron Liverpool y Nottingham Forest en el estadio de Hillsborough, situado en la ciudad de Sheffield, por la semifinal de la FA Cup.

Ese fatídico día fallecieron 96 hinchas de los *Reds* aplastados por una avalancha, debido a la negligencia policial que permitió sobreocupación en la tribuna y, luego demoraron en actua, porque pensaron que se trataba de una invasión de campo. El gobierno de Thatcher ocultó pruebas y utilizó su brazo mediático, el diario *The Sun*, para culpar y criminalizar a los hinchas. La ciudad nunca perdonó ese accionar, comenzando un boicot contra el diario y endureciendo el antithatcherismo. El 26 de abril de 2016, la justicia determinó que los fallecidos fueron víctimas de homicidio, atribuible a la pésima actuación policial. Se hizo justicia por los 96.

I. II Llegada a Liverpool

Un hombre totalmente normal, *The Normal One*. Así se describió Klopp, el 9 de octubre de 2015, en su presentación como entrenador de Liverpool, ante la atenta mirada de periodistas que buscaban promesas magnánimas. Jürgen sentó las bases de su ideología antes de comenzar a jugar, tomó un discurso en contraposición a José Mourinho, *The Special One*, el gran dominador de la Premier en ese lustro.

Sin elegancia en las palabras ni en sus formas, postula a sus equipos como representantes del sentimiento de la afición, que durante la semana se encuentra agobiada de problemas. El fútbol es el espacio de liberación y él debe aportar a ello. En el fútbol es necesaria la suspensión de la incredulidad, tal y como acuñó el filósofo Samuel Taylor Coleridge. Es decir, el espectador acepta como ciertas las premisas sobre las cuales se basa una ficción. Así el deporte ayuda a distraer de los problemas cotidianos, aunque no a resolverlos. Pero, como dice Klopp, en la vida los problemas se afrontan solos, en cambio en el estadio se disfruta o se sufre junto a mucha gente y a treinta millones de fans en todo el mundo. Es, entonces, un sentimiento fuerte de gran comunidad, lo cual no solventa los problemas cotidianos, pero ayuda a lograrlo.

Jürgen conocía el poder de Anfield Road. En agosto de 2014, Borussia Dortmund visitó Liverpool en ocasión de un tradicional amistoso de verano europeo. Luego de una derrota tan abultada como intrascendente, Klopp se dirige al vestuario visitante acariciando el cuadro que inmortaliza la frase *This is Anfield*. Una predicción, tal vez. En la pared aledaña al túnel, que inevitablemente utilizan los futbolistas para salir al campo de juego, se encuentra una frase de la gloria Bill Shankly en letras gigantes, para que todos lean que "[*El cartel This is Anfield*] Está ahí para recordar a nuestros muchachos para quién están jugando y para recordar a la oposición contra quién están jugando". Había que recobrar la representación de los Roger Hunt, Ian Callaghan, Ray Clemence, Kenny Dalglish, Ian Rush, John Barnes; la mística ganadora de los setenta y ochenta. Y no era fácil. Había que jugar, también, para la afición.

Cierto es que el panorama en Liverpool no era el más esperanzador. Una institución de las más importantes de mundo, con alegrías de First Division, Copa de Campeones, FA Cup, entre otras. Con décadas como las del setenta y ochenta, donde pusieron bajo su suela al resto. Un actor fundamental de la ciudad portuaria,

Can siendo el dueño de la medular, en defensa los problemas continuaban. Liverpool se había convertido en un equipo que presionaba en zonas altas del campo rival, apostaba para ganar a su manera (lo que algunos llamarían arriesgar), pero era complejo conseguir eficacia cuando no había fiabilidad total. La saga central no lograba asentar dos apellidos, puesto que el nivel era inconstante. La lentitud de Lovren, Skrtel, Touré y Sakho, se sumaba a la poca ductilidad para iniciar el juego. Si Emre Can era bloqueado por la marca rival, las resoluciones de sus compañeros solían ser defectuosas en técnica e interpretación y el equipo perdía rápidamente el balón. Esto era inconcebible en un modelo de juego que buscaba tener certezas de dominio, incluso desde lo más profundo. El portero, Mignolet, última punta del triángulo defensivo, contribuía a la falta de seguridad con el péndulo del desequilibrio: de majestuosas atajadas a errores de novato.

En los laterales se encontraban Nathaniel Clyne y Alberto Moreno. Ambos volvieron a sus posiciones naturales, ya no comenzando desde el mediocampo. Aún con las limitaciones propias de su jerarquía personal, ambos lograron mejoras sustanciales en su faceta ofensiva. Fue de ayuda que la idea implantada por el entrenador guarde un espacio de vital relevancia para la amplitud del campo al momento de atacar. Con los laterales abiertos de lado a lado y los extremos oficiando a pierna cambiada para poder centralizar efectivamente su posición y, de esa manera, cubrir cada espacio. Había más protagonismo para que puedan finalizar las jugadas con remates o asistencias.

Un grupo víctima de las viles burlas que traen los resultados negativos, desprestigiado en su andar, se topó con un hombre de trato paternalista, que buscó motivar a titulares y suplentes de igual modo. Por lo tanto, la fusión entre Klopp y el plantel fue instantánea. Adam Lallana, luego del triunfo 4-1 ante Manchester City, declaró que, gracias a los sentimientos que el entrenador le transmitía a los jugadores, correría por él, incluso moriría por él y sus compañeros dentro del campo.

Aún quedaba un paso, y era la articulación con el público. El desánimo era grande, y no dudaban en hacerlo notar. En la derrota a manos del Crystal Palace, una cantidad significativa de aficionados abandonaron sus asientos antes del final. No creían en el equipo. En la conferencia, el entrenador fue tan sincero y frontal como descarnado. Era un grito de ayuda. "Después de 82 minutos cuando anotaron el gol, todavía había 12 minutos para que finalice el encuentro, pero vi muchas personas que se marcharon del estadio. Me sentí muy solo en ese momento. Nosotros decidimos cuando se termina y entre el 82 y el 94 se pueden hacer ocho goles", dijo el alemán. El objetivo estaba claro: "Somos responsables de que nadie abandone el estadio antes de que termine el partido, porque todo puede pasar". Con Klopp liderando el movimiento, ese que nació un 17 de octubre, nadie va a caminar solo.

Capítulo II

KLOPP ENAMORA

"Todo campeón fue alguna vez un contendiente que se negó a rendirse."

Rocky Balboa

Era el 2004 y Mainz debía prepararse para una histórica temporada en la que iba a participar de la Copa de Europa. Como suele suceder con las instituciones que dan un salto sustancial en la tabla de posiciones de un año a otro, incorporó muchos futbolistas a sus filas cambiando bastante la plantilla. El entrenador, Jürgen Klopp, decidió que lo más acertado era radicarse en Noruega y Suecia. Allí los futbolistas navegaron en kayak durante cuatro días, llevaron el equipaje con ellos de río en río, hicieron sus propias tiendas de campañas y cocinaron su propia comida. Pescaron juntos, cocinaron juntos, visitaron paisajes únicos. Juntos. Decía el entrenador al respecto: "En el año 2004 concentré al equipo una semana junto a un lago en Suecia, sin electricidad ni comida. Éramos como Braveheart. Podías clavarme un cuchillo y no lo sentía. Volvimos a la Bundesliga y la gente no podía creer lo fuertes que estábamos". Tamás Bódog, primero compañero y luego dirigido, recuerda aquella época con cariño. Tanto es así que, una vez entrenador, decidió hacer algo similar con su equipo. "Esos días fueron inolvidables y quería regalar algo similar a mis futbolistas". Dirigiendo a Diósgyőr, los llevó a un entrenamiento nómada con remo, kiteboarding, triatlón y por las noches debían cocinarse la cena.

Las empresas cuyo éxito se encuentra estrechamente ligado a la conexión entre sus protagonistas, adoptan para sí el trabajo cotidiano del fortalecimiento grupal. La gestión de una plantilla, donde se encuentran futbolistas de diversas culturas e idiomas, no es sencilla, pero es vital generar un buen clima cotidiano. Las relaciones entre los distintos agentes se crean y fortifican a cada paso, así como también se pueden debilitar y romper, por lo tanto es un aspecto que el líder tiene que atender con suma atención. Hay ejemplos en ámbitos completamente opuestos, situados en distintos contextos históricos, que aún así desembocan en el mismo resultado: potenciar el trabajo individual para mejorar el grupal. Dos casos arquetípicos, uno a raíz del estudio realizado acerca de los soldados norteamericanos durante la II Guerra Mundial, demostró cómo la motivación para el combate está ligada a los lazos estrechados con un grupo informal: la protección a los amigos, la necesidad de satisfacer las expectativas del grupo primario. De este modo, los soldados salían más predispuestos al combate, más allá del valor intrínseco de defender su bandera. El otro caso, se encuentra en la concepción que le dio Google al espacio de trabajo. "Con el ascenso de la firma (Google), la visión de un lugar de trabajo colaborativo impactó en el mercado. Fue así que tuvimos compañías que vinieron a nosotros y nos dijeron: 'Queremos ser como Google'", comenta Wilkinson en una nota otorgada a un medio americano. Allí los compañeros se relacionan entre los pasillos: billar, videojuegos. De este modo se genera una dinámica productiva, identificación y pertenencia. Se transforma el trabajo en un estilo de vida y todos tienen valores en común que los hacen parte de un "nosotros".

Según su hermana Isolda, la esencia del carácter cariñoso de Jürgen es evocación de su padre. Norbert también tenía vocación por el otro, mostrar interés con una sonrisa y dar abrazos. Tal vez inherente a su persona, Klopp propone un contrato social en sus equipos. Es decir, buscar acuerdos en el grupo para poder vivir mejor. Se admite que hay una autoridad, ciertas normas, leyes que interpelan la ética, la moral y que sirven para vivir mejor. Sin dudas, la comunicación verbal es uno de sus aspectos más fuertes como entrenador. Sabe informar lo que pretende de su equipo. Como cuando se presentó ante sus dirigidos en Liverpool llevando un cartel que, en una tipografía grande, decía: "I want you to be a TEAM". Traducido, "quiero que sean un equipo". El significado detrás de la palabra *team*, explica Klopp, tiene un trasfondo. Es un acróstico: "La T es porque quiero que sea terrible jugar contra nosotros. La E de ser un equipo entusiasmado. La A, es de ambicioso y la M es porque los quiero como una máquina mentalmente fuerte".

El entrenador alemán tiene como característica poner el acento en los aspectos motivacionales, exigiendo a sus futbolistas al máximo e incluso siendo hostil en ciertos momentos, pero luego sabiendo darles las caricias necesarias para no quebrantar el ambiente ameno. La intensidad que logran sus equipos tienen como piedra angular este estilo de ver el fútbol y las relaciones humanas. Así como en la infancia -según recuerda Ulrich Rath, su primer entrenador- se rompió la clavícula y una semana después se presentó al entrenamiento con su hombro vendado en un cabestrillo para poder jugar. Klopp pide lo mismo a sus entrenados. El portero australiano Mitchell Langerak llegó a Borussia Dortmund en 2010, a sus 21 años, y coincidió con Jürgen Klopp durante un lustro. Recuerda el trato paternalista hacia el grupo, lo que le permitía ser fuerte para bajar la información necesaria a la hora de los entrenamientos o de la corrección de errores: "Después del entrenamiento, o a la mañana siguiente, estaba dando abrazos y haciendo bromas, todo estaba olvidado. Era muy parecido a una figura paterna, que es algo que me dijo cuando firmé por primera vez". Esto se entrelaza con otro aspecto de liderato del alemán como lo es la escucha. Diez minutos antes de un juego de Bundesliga, Klopp descubrió que el padre de Langerak trabajó en las minas de carbón en Queensland durante 30 años. No podía creer que alguien de un pequeño pueblo llegara a Alemania para jugar allí, por lo que tuvo al joven portero con preguntas hasta salir del vestuario.

El giro drástico que finalizó con su carrera como futbolista y comenzó con la de entrenador, lo debió forjar en diversos aspectos de liderazgo. Uno de los interrogantes más comunes cuando los roles se cambian de esta manera es cómo impactará en sus excompañeros y si la figura de autoridad no se verá dañada. La prensa alemana también tuvo estas dudas y Klopp respondió contundentemente que "no importa si los jugadores me llaman por mi nombre o incluso por mi apodo, la autoridad proviene de la convicción", y vaya si así era el treintañero Jürgen. En 2003, luego de perder dos ascensos consecutivos en la ciudad de los carnavales, la prensa escribía que "Jürgen Klopp (36) sigue siendo un optimista despiadado. Y su naturaleza es contagiosa". El futbolista Alexander Schur, quien compartió largos viajes con Klopp en su Nissan Sunny yendo a los entrenamientos de Eintracht Frankfurt a comienzos de la década del noventa, tiene un testimonio que apoya a la prensa, porque "Klopp sabe cómo aprovechar al máximo cualquier situación negativa, es un idealista, es muy divertido escucharlo".

Los seres humanos son relacionales, se comunican para vivir. Al número más significativo de la población le gusta ser oído, percibir que se interesen por su discurso. Escuchar es comprender al otro como un ser vivo, como una otredad. Cuanto más se escuche, más se podrá conocer y de ese conocimiento saldrán respuestas. Cuándo era entrenador de Mainz, Klopp nombraba al once de gala en el campo al final de la última sesión de entrenamiento semanal, mientras los jugadores formaban un círculo. Hasta el día después de ocurrido el encuentro, no se podía hablar sobre la nómina, pero luego los futbolistas podían acudir a él. Según el entrenador podían hacer un uso extensivo de él y, además, el umbral de inhibición era bajo.

Ya en Liverpool y con más de diez años como gestionador de grupos, sigue la misma línea de fortalecimiento de lazos mediante la escucha. Expresa que no siempre tiene tiempo para todas las personas, pero sí para sus jugadores. Para ellos todo el tiempo del mundo: "trato de entender por qué son cómo son", afirma.

Un ejemplo de la naturaleza que posee para generar vínculos con sus dirigidos, tiene lugar en una de las típicas fiestas de Navidad que las instituciones organizan. En este caso en España, programada para después del encuentro ante Bournemouth, en el que Liverpool sería derrotado. El avión aterrizó en Barcelona, los futbolistas ya dispuestos a comenzar la burocracia que imponen los aeropuertos, cuando la música comenzó a sonar y desde los parlantes se oyó la voz de Klopp diciendo: "Escuchen muchachos, si podemos festejar cuando ganamos, podemos hacerlo también cuando perdamos". Adam Lallana comenta que todos bajaron del avión dándole la razón y realmente considerando que merecían su tiempo de fiesta, porque "hicimos nuestro mejor esfuerzo aunque perdimos. Vamos de fiesta, tomemos un trago, hay más en la vida que el fútbol". Lo que culturalmente puede impactar y generar rechazo para los aficionados más radicales, a este plantel le ayudó para quitar la tensión. La sorpresa generó el impacto, puesto que se realizó una acción inesperada: el entrenador no fue beligerante, sino permisivo. Es una manera inteligente de crear lazos. Si estás mal y mantienes una mala dinámica, seguirás por ese camino. De lo contrario, cuanto menos se tarde en cambiar los pensamientos negativos, más rápido se estará pensando en los próximos objetivos. La diferencia entre el mejor y el resto reside, luego del talento, en lo mental. Hay problemas, momentos críticos que deben ser respondidos con eficiencia y rapidez. No es sencillo responder al manejo de un grupo incidiendo correctamente, o apenas incidiendo, puesto que lo que pasa en el campo depende finalmente de los futbolistas.

Cuando aquel encuentro vertiginoso ante Borussia Dortmund por Europa League iba al medio tiempo y Liverpool caía dos a cero, el estado mental de sus dirigidos no era el mejor. Klopp sabía que así no era posible dar vuelta el marcador. Todavía quedaba tiempo y en el juego no era imposible llevarse la clasificación. Una vez en el vestuario se escuchó "Hoy es uno de esos días. Si podemos cambiar esto en cualquier momento, es una historia que podemos contarle a nuestros nietos". Era el entrenador, que recuerda: "Probablemente no fue tan fácil imaginarlo para los muchachos, porque la mayoría de ellos ni siquiera tiene hijos en este momento, pero parece que se dieron cuenta muy bien en una atmósfera calurosa". La persuasión es el elemento que se entrelaza con la emoción para lograr convencer. Algún tiempo atrás, también utilizó el estímulo emocional para dar fuerzas a sus dirigidos en Borussia Dortmund, que tenían la posibilidad de conseguir el doblete (Bundesliga y la Copa Nacional "DFB Pokal"). Sus ayudantes produjeron un video con los más grandes logros de la humanidad. Comenzaron con el alunizaje y se incluyó hasta al tenista Boris Becker. En el contexto alemán se agregaron Rosi Mittermaier (en Innsbruck en 1972), Steffi Graf, Michael Schumacher... Momentos épicos pasaban por las retinas de los jugadores, cuando Klopp les dice: "Nuestro próximo momento será en esa película también, pero está esperando que ocurra. Mañana ocurrirá cuando tengamos la oportunidad de ganar el doblete por primera vez en la gloriosa historia de Borussia Dortmund". No quería hacerlo demasiado grande, dijo, pero quería tener la atracción de que ese momento puede existir para siempre.

Es dos de julio de 2018 y Liverpool vuelve a los entrenamientos. El lente de una cámara enfoca al automóvil que deja al entrenador en la puerta de Melwood, mientras el plano lo acompaña una sonrisa se dibuja en su rostro. Desde que ingresa hasta que ve a la última persona en el recinto, reparte abrazos sin importar condición: jugador, ayudante, recepcionista, con todos festeja por igual. Y ellos se iluminan. Un año después, el lente lo está esperando nuevamente para darle la bienvenida. Antes de ingresar formalmente al predio, saluda a los guardias de seguridad que le abrieron el portón del estacionamiento. Para todos tiene una sonrisa y un cumplido. Es efusivo con los niños, respetuoso con sus pares, cariñoso con los mayores. Andando por las habitaciones se encuentra al nuevo refuerzo, el joven Sepp van den Berg y también le reserva un halago: "Dios mío, eres alto. Es impresionante, diferente a cuando ves las imágenes". Entre ambas fechas estuvo la temporada de sus vidas, ganando una Champions League y generando 97 puntos en Premier League. No obstante, si se intercambian los momentos, no se podría dilucidar en cuál hay más sensación de felicidad, puesto que la clave del método de Klopp para motivar radica ahí mismo: el principal motor para alcanzar los éxitos está en la compenetración del grupo, en la humanidad de los sujetos que lo integran y en generar lazos que van más allá de resultados.

Aquel niño a finales de los setenta que habitaba en Glatten, un pueblo de 1.500 habitantes de la Selva Negra, requería de buena imaginación para no llegar al tedio en los momentos de ocio cuando el mal tiempo no permitía jugar en las afueras del hogar. Con solo tres canales de televisión, el pequeño Jürgen era un ávido lector. En una entrevista afirma que los títulos del *best seller* alemán Karl May fueron muy importantes en su crecimiento. Especialmente las aventuras del indio apache Winnetou y Old Shatterhand, hermanos de sangre que fueron un arquetipo de la literatura alemana sobre la lucha por la justicia y la paz. Los distintos libros siguen las andanzas de estos personajes que forjan su carácter noble y valiente enfrentando todo tipo de vicisitudes en el oeste estadounidense. Sin precisar lazos entre sus consumos culturales de cabecera y el resto de su vida, es interesante aportar sus películas favoritas, Forrest Gump, la serie de Rocky y El agente 007. "Eso es historia, eso es arte, eso... no sé, ese es Tom Hanks en su mejor momento. Me tomó diez años pensar que no era Forrest Gump cuando veía otras películas. Realmente me encantó". Hay una esencia de buscar justicia, de pelear por causas nobles y de atreverse a la acción que lo sigue a cada paso. Desde el niño que quería jugar incluso lesionado, pasando por el fallido estudiante de medicina, hasta llegar al entrenador que se aburriría teniendo a Xavi, Cristiano Ronaldo y Messi juntos, porque además de ganar quiere sentir. Klopp es un líder innato, tiene carisma y honestidad. No tiene miedo a perder ni devoción por ganar, entonces no se encuentra encadenado a las circunstancias. "Ese es el plan: solo inténtalo. Si podemos hacerlo, maravilloso. Si no, entonces falla de la manera más bella", exclama.

II. I Las derrotas y cómo enfrentarlas

Quedaban solo unas semanas para que finalice el 2014 y Borussia Dortmund no tenía tregua de Navidad. La caída ante Werder Bremen en el Weserstadion fue otra herida en una temporada inesperada: acumulaba su décima derrota en diecisiete encuentros, finalizando la primera mitad de la Bundesliga con quince puntos. No pudo alegrarse, siquiera, al día siguiente cuando los goles agónicos de Bittencourt y Joselu le dieron el empate a Hannover ante el Friburgo, puesto que de todos modos el resultado lo ubicó en la última posición. Una plantilla con recientes campeones del mundo, también con Gündoğan, Aubameyang, Kagawa, Şahin, Immobile, entre otros. Una institución que había campeonado en 2011 y 2012, subcampeonato las dos temporadas siguientes, terminaba el año a treinta puntos del Bayern Münich de Pep Guardiola. El 31 de diciembre, a los jugadores que tomaban sus vacaciones les sonó el celular. Era un mensaje de texto de Klopp que decía: "Volveremos a patear traseros".

Este fue el clima que atravesó la pretemporada en Murcia, el halo de confianza necesario para creer en revertir la compleja situación. Además de ser un entrenador con incipientes éxitos en la institución, tales como ambas Bundesligas y llegar a una final de UEFA Champions League, Jürgen Klopp conocía el angustiante terreno de la lucha por permanecer en las grandes ligas. Vivió un descenso en 2007 con Mainz 05 y no le interesaba repetir la situación.

El 14 de mayo de ese año, Mainz 05 lograba vencer por tres tantos a cero al Borussia Mönchengladbach, pero en simultáneo Wolfsburgo capturaba un valioso empate ante Alemania Aachen que enviaba al descenso a los dirigidos por Klopp. Futbolistas y afición tomaron el resultado como lo que era para cualquier entusiasta de los deportes: una triste noticia. Del otro lado, Jürgen recorría el campo de juego consolando y animando a sus muchachos acostados en el césped, con lágrimas en los ojos. Luego prosiguió con la otra parte, dando una vuelta de honor al campo para agradecer a los hinchas el apoyo brindado durante la extenuante temporada. Finalmente, tomó el micrófono del locutor del estadio para anunciarles que: "Hoy no es el final de los días. Volveremos, sin dudas". Unos días después, a pesar de reconocer que la presión los superó, declaró que demostraron que podían "terminar con estilo".

En este punto, llegó más de una oferta para dirigir en primera división. No se marchó. Estaba orgulloso de su club, de la ciudad y de los futbolistas. El compromiso forjado con la comunidad fue un lazo primordial para su decisión. Como dijo: "Después de todo quiero vivir en paz en esta ciudad cuando sea viejo". Siendo candidato junto a Hoffenheim para lograr el ascenso, la temporada 2007/2008 no fue todo lo grandiosa que imaginaban y marcó el final de una era. El aura de tristeza que cubría la ciudad era más intensa que el de un año atrás, puesto que significaba la partida de su líder. El delantero ecuatoriano Félix Borja integraba aquel plantel y en conversaciones para el libro, expresó: "No lograr el ascenso fue duro, porque teníamos uno de los mejores equipos, pero lo más duro era saber que Klopp nos iba a dejar".

Los aficionados de Borussia Dortmund son característicos por el apoyo incondicional. El lema de la institución, *Echte Liebe*, significa amor verdadero. La tribuna Südtribüne recita cánticos estruendosos, en el imponente arquitectónico Signal Iduna Park, de comienzo a final. Las gradas parecen no dar espacio al cielo, todo pintado de amarillo y negro. Un recinto que tiempos atrás fue impenetrable, vital para los títulos conseguidos, en febrero de 2015 se tornaba hostil. Luego de perder en casa ante Augsburgo, jugando media hora con un hombre de más y sin crear opciones reales de peligro, los aficionados respondieron con una silbatina que, acustizada por el estadio, podría oírse en cada estado alemán. En conferencia de prensa, Klopp dijo seriamente que podían ser acusados de cualquier cosa esa noche y todo estaría justificado, que luchar también significa tomar la decisión correcta y perdieron eso aquella noche. El portero emblema Romain Weidenfeller y Mats Hummels, los eventuales capitanes, se acercaron a las gradas ante la cercana custodia del resto de sus compañeros para atenuar la hostilidad, improvisando una explicación. Fue el defensor quien reconoció entender el enojo, porque "si uno está en esta posición luego de 19 juegos, sería inaceptable no comprender las reacciones de los fanáticos".

Los medios de comunicación no quisieron faltar a la fiesta de agravios. Cuando un equipo se encuentra sin rumbo, se ataca primero a la cabeza: el filósofo y periodista alemán Wolgram Eilenberger describía a Borussia Dortmund como una secta y a su entrenador como su gurú ante la negativa de la institución de despedirlo. Los constantes ataques externos provocaron una reacción sintomática muy común en estos casos: el hermetismo. Convencido de su plantilla tanto así como de su trabajo, Klopp declaró en conferencia de prensa que la unidad debería ser el camino para salir del fondo: "Tenemos la gran oportunidad de salir de esta crisis más fuertes de lo que fuimos, pero solo si, tal vez por primera vez en la historia del fútbol, lo hacemos sin permitir que se forme una brecha entre nosotros mientras estamos en esta crisis".

La primera muestra concreta de unidad llegó a los pocos días. Marco Reus, pretendido por Barcelona y Bayern Münich, extendió su contrato hasta 2019 sin cláusula de rescisión y válido para la segunda división. Así como Klopp tenía un compromiso con la ciudad de Mainz, Reus con Dortmund. Luego de la firma, el jugador fue ovacionado por sus compañeros cuando ingresó al vestuario. A veces un detalle puede torcer una historia compleja y este hecho fue un pilar para la reconstrucción. El siguiente encuentro ante Friburgo, rival de zona en la tabla de posiciones, fue victoria. Desde allí se encadenaron las buenas actuaciones para terminar en la séptima posición y llegar a la final de la DFB Pokal, donde se perdió ante Wolfsbugo.

Los duelos ante Barcelona eran bisagra para comprender cuál era el nivel real de Liverpool para competir con la élite del fútbol. Las finales perdidas comenzaban a ser una mochila de rocas para Klopp. Por eso, tras la derrota en el Camp Nou, acopiaron las críticas de la prensa y distintos sectores que estaban agazapados esperando un traspié. Incluso José Mourinho encendió el fuego declarando que el alemán estaba en la institución hace tres años y medio y aún no había ganado nada. De todos modos, estos avatares grisáceos no hicieron mella en el grupo. Nunca lograron llegar al núcleo duro de Liverpool que, ni bien finalizado el encuentro, tenía claro el próximo paso: remontar la serie.

Aquella noche española fue una exhibición táctica de Liverpool, que iba subvalorado por gran parte del mundillo de fútbol ante el Barcelona de Lionel Messi. Con Joe Gómez por Alexander Arnold y Wijnaldum por Firmino, los ingleses hicieron un trabajo constante que sorprendió. Claro que en las áreas fueron poco contundentes. El yerro final de Dembelé fue una señal, o al menos así la adoptaron todos los que querían creer.

Más allá del optimismo que lleva como estilo de vida, Klopp era consciente que su equipo fue superior en importantes facetas del juego, por lo tanto en rueda de prensa afirmó sin titubear que había sido el mejor encuentro que jugaron en Champions.

En la efervescencia de la esperanza, el paronama se comenzaba a complejizar. Un agónico gol de Origi en St. James Park para derrotar a Newcastle mantenía las chances de ser campeón de Premier League, pero también marcó que Salah se perdería el duelo ante Barcelona por una conmoción luego de chocar con el portero Martin Dúbravka. Los lesionados se acumulaban en la lista, Manchester City no bajaba su marcha de cara al título y había que remontar la serie contra el principal candidato a llevarle la orejona. De poder ser una temporada perfecta a estar cerca de verse con las manos vacías. En cualquier otro tiempo y espacio los nervios se hubiesen apoderado de las gradas, de los jugadores o los entrenadores. En Anfield Road el mensaje se plasmaba en la remera utilizada por Mohamed Salah para ver el encuentro de vuelta contra Barcelona: "Nunca rendirse".

Aquella noche fue mágica. Sin Salah ni Firmino, con dos suplentes como Origi y Shaqiri, sabiendo que un gol del rival obligaba a marcar cinco tantos propios, con Messi en frente. En ese recinto no había un aficionado que no creyera que se iba a ganar. El cántico transformado en himno, *You Never Walk Alone*, con todas las banderas flameando, fue ensordecedor. Ya en el vestuario, antes de comenzar el encuentro, Klopp no utilizó la persuasión, la verborragia o los discursos grandilocuentes. En cambio, fue sencillo, expresó que la remontada era "imposible, imposible, pero por ser ustedes tienen una oportunidad". Un mensaje directo, simple y honesto. Si un grupo podía, ese era Liverpool.

La sensación de poder era tan potente que incluso en los jugadores de Barcelona se percibió. Cuando Wijnaldum marca su primer gol, el segundo del equipo, se desmoronaron. El tercero llegó rápidamente y lejos de especular llegó el cuarto con Origi. Tras el triunfo, cuerpo técnico y plantel se abrazaron de cara a *The Kop*, para entonar el himno popular frente a su gente. Nunca caminaron solos, de nuevo. Lágrimas, sonrisas, abrazos, gritos al vacío. Fue un trofeo antes del trofeo. Nunca dejaron de creer.

Capítulo III

GEGENPRESSING

"Un grupo solamente se forma si todo el mundo habla el mismo idioma y todos están capacitados para el juego colectivo.
No se consigue nada en solitario o, si acaso, solo resultados efímeros. Con frecuencia me refiero a lo que decía Miguel Ángel:
'el espíritu guía la mano'".

Arrigo Sacchi.

Las plantillas que le han tocado a Klopp en sus más de quince años como entrenador han sido muy diversas. Durante su estadía en Mainz, y gran parte de Dortmund, los apellidos relevantes no le rebalsaban el plantel. Solía tener que aunar las piezas con bastante imaginación con respecto a su ideal de juego. Gracias a su perspectiva de entender el fútbol como un deporte de equipo supo acomodarse camaleónicamente a las necesidades y contextos por más austeros que se vieran. Para él son once compañeros ayudándose para ser mejores, trabajando juntos y luchando los unos por los otros.

Dentro de esta filosofía comunal hay un método característico del alemán: el *gegenpressing*. Este principio táctico, que lo acompañó desde Mainz hasta tomar mayor relevancia en Dortmund, tiene por objetivo elemental evitar los duelos individuales. Es una herramienta inteligente que utilizó Klopp para buscar competir al primer nivel, incluso sin contar con futbolistas de élite en cuanto a las características particulares.

Las tácticas grupales anteceden al fútbol, son inherentes al ser humano, al ser social. Incluso eventos en las antípodas de lo que pregona el deporte han presentado formaciones míticas, como la legión romana que dominó gran parte del mundo civilizado antes de Cristo. Todas tienen en común el desgaste físico y mental requerido para tener más probabilidades de alcanzar el éxito.

El trabajo en bloque es dificultoso porque no depende de un ser individual, sino que radica en una cadena de responsabilidades. En el *gegenpressing,* el mandamiento primordial es la cooperación de todos, porque el objetivo principal es, una vez perdido el balón en campo contrario, recuperarlo cuanto antes para no realizar un desgaste físico extenuante ni permitir que el rival avance metros y desencadenar un posible contraataque.

Si se realiza con éxito, la recuperación tras pérdida genera que el equipo poseedor del balón pueda ser más contundente en su ataque, ya que se encuentra posicionado en una zona de finalización, lo que es un privilegio, puesto que no debe volver a elaborar desde zonas más inofensivas. Jürgen Klopp lo define como la mejor manera de jugar, debido a que "te da la oportunidad de tener el balón en un área donde usualmente se necesitan cinco, seis o hasta veinte pases para llegar ahí. Ese último tercio de la cancha. Tiene sentido en todo el campo de juego, pero especialmente ahí. Si pierdes el balón en esa zona es todo mucho más fácil. Cada balón que vuelvas a recuperar en esa zona puede ser una chance de gol".

No solo se debe enaltecer al desgaste físico como herramienta para llevar a cabo esta presión, hay otros matices necesarios para lograr la efectividad. La mentalidad es un aspecto que le interesa a Klopp, puesto que el futbolista debe estar concentrado durante todo el encuentro, debe ser un cazador activo para que el plan salga perfecto. Dice al respecto que es necesaria una mentalidad muy fuerte, concentrarse al 100 % cuando el equipo posee el balón. Mientras que cuando se sufre una pérdida, se debe seguir igual de concentrado para recuperar. Al adoptar esto, se corre menos. Son dos o tres futbolistas corriendo tramos de diez o quince metros en dirección al balón. De lo contrario, los diez deberían retroceder setenta metros para poder replegar. Es, para el alemán, la forma más fácil de recuperar el balón. Como recuerda el ayudante de campo de Klopp, Pep Lijnders, "Esto es el Liverpool: nuestra identidad es la intensidad".

Esta ideología encajó perfecto en Liverpool. Aquello que había trabajado en Borussia Dortmund fue integrado logrando una evolución en su trabajo, que fue moldeando durante sus cuatro temporadas en Anfield al tiempo que iba transmutando el esquema y estilo de juego conforme los futbolistas iban y venían.

Levantar al gigante de Europa iba a llevar tiempo y trabajo, fue lo que dijo en sus primeras conferencias. A Klopp le bastaba con paciencia y creencia por parte de la afición, mientras tanto él buscaría plasmar su doctrina futbolística basada, según sus propias declaraciones, en una filosofía de juego emocional, rápida y fuerte. Jugar a toda velocidad, llegar al límite en cada juego. Esa era su mentalidad, la cual quería utilizar como guía para Liverpool. Reflejar la grandeza del club en acordes de *heavy metal*, porque "táctica, por supuesto, pero táctica con un gran corazón".

En los primeros entrenamientos marcó lo que sería la reconstrucción, buscaba levantar la moral desde la adrenalina. Era un baterista tocando un solo largo y a todo volumen. Pedía correr y luchar juntos, diversión y valentía en los ojos de sus dirigidos, buscaba felicidad en ellos: ver que les guste lo que hacen. Correr, luchar, disparar, defender y atacar juntos. Hacer, sentir, pensar. Juntos, juntos y juntos. Esa era la nueva palabra que resonaba en la parte roja de Merseyside.

Ya no le proponía a sus jugadores y a la ciudad una manera de jugar al fútbol sino un nuevo estilo de vida. Tan visceral y ambicioso como humilde. Humilde porque requería de todos, no lo podía lograr en solitario, ni siquiera él y sus jugadores. Todo Liverpool debía adoptar esta efervescencia incontenible.

Nunca es fácil llevar al plano práctico aquello que uno sostiene con sus palabras. La teoría es muy importante, ayuda a acomodar pensamientos, incluso a estructurar actos de entrenamientos o formas de juego, pero cuando el mensaje llega al campo de juego la responsabilidad se desprende de uno y pasa a los verdaderos protagonistas, los futbolistas. Ellos deben llevar a cabo las ideas que plantea el entrenador y deben tener la capacidad de interpretarlas –además de la variable de sentirse cómodos con ellas. Está demás decir, que las ideas del entrenador funcionaron rápidamente, aunque conforme pasaban las temporadas, las mejoras fueron notables.

Desde las primeras actuaciones de su equipo se percibió el cambio radical de estilo. El punto fuerte, en este caso, a contraposición de otros estilos más sofisticados (como el juego de posición), es que la plena implementación o interpretación requiere de menor tiempo de enseñanza e incorporación.

Liverpool tiene un mayor porcentaje de pérdida de balón en los carriles exteriores, muy cerca al tercio final del campo. Las causantes suelen ser la manera de atacar, siempre buscando sacar provecho de las bandas a través de sus extremos o laterales. Cuando se pierde la posesión allí, el equipo se desplaza en bloque y así junta tres futbolistas o más para que presionen asfixiantemente la zona activa del balón, buscando que el poseedor del mismo se encuentre en apuros y no pueda seguir avanzando a través de conducciones. Si la acción grupal es realizada con eficiencia, el rival deberá optar por recurrir al lanzamiento y que luego se dispute ese balón dividido (ya con un 50% de posibilidades para cada equipo), o reiniciar la jugada con el portero, lo que daría tiempo al equipo que se encuentra en posición de hostigador para que rearme su línea defensiva.

Intentar desmenuzar este comportamiento de juego se volvería un tanto ambiguo, engañándonos a nosotros mismos, ya que hasta sus propios protagonistas sostienen que no hay ciertas indicaciones rigurosas por cumplir al pie de la letra, lo cual no significa que detrás de esto no haya horas y horas de entrenamientos para perfeccionarlo. Sadio Mané, en un reportaje con

Diego Torres Romano para el diario El País, aclara que no hay un líder que comande dicha presión, sino que los movimientos se basan más en una cuestión de química, gracias al estar tanto tiempo con los mismos compañeros. El senegalés agrega que es una cuestión de interpretación durante los partidos y que se amolda a lo que en ese momento quiera llevar a cabo el rival. "Esa es la señal para todos. Nadie da una voz. Sabemos en qué situaciones presionar y en qué situaciones replegarnos y juntarnos. Se trata de leer al rival. Cuando ves que el contrario hace determinado pase, no necesitas mirar atrás. Sabes al 100% que todos tus compañeros se moverán tras de ti. Es el rival el que te da el tempo dependiendo de cómo y con quién juegan el balón. Esto es un pequeño secreto. Pero puedo decir que el ritmo de nuestros movimientos de pressing lo marca el rival", concluye el exfutbolista del Southampton.

Partiendo de esta explicación concisa que brinda Sadio Mané, haremos énfasis en exhibir situaciones donde se repiten conceptos similares en relación con la presión tras pérdida, sin intenciones de imponer tópicos que no corresponden. Lo irrefutable es que a lo largo de estas temporadas bajo la órbita de Klopp, Liverpool supo imponer una actitud ávida con el afán de hacerse dueño de la posesión bajo una premura inigualable.

Hay jugadores que se encuentran un escalón por encima del resto en diferentes facetas del juego. Un ejemplo claro es Johan Henderson, pilar fundamental para encender al equipo tras una pérdida del balón. Lo cual no significa que el jugador en sí represente un aforismo, sino más bien es quien se destaca por recuperar la máxima cantidad de balones posibles. De esta manera supo convertirse en el futbolista insignia de Klopp durante grandes tramos de este ciclo. Con la salvedad de que en la temporada 2018-2019 mutó hacia una posición más ofensiva, ubicándose en el carril interior derecho. El mediocentro británico encajó de manera formidable en la idea que quiso instaurar Jürgen desde el primer día que llegó a Melwood. Su ímpetu a la hora de presionar en diferentes alturas ocasionó que Liverpool logre sostener ese ritmo vehemente por largos lapsos de partidos. Con sus longevos recorridos para asediar al rival, permitió que el resto del equipo adopte dicha actitud voraz para rehacerse del balón de manera inmediata.

La importancia del mediocentro defensivo como eje del equipo, es una premisa inquebrantable en la conformación de Klopp. Puede defender con un solo mediocentro en inferioridad numérica, pero cuando ese futbolista se comporta tácticamente como si fuese un diez: hay un problema. La conclusión es que sin importar cuál sea el esquema, todos tienen que correr mucho y el que no pueda hacerlo quedará relegado. Al menos, así lo dejaba en claro cuando daba sus primeros pasos en Mainz, durante la temporada 2003-2004.

Adentrándonos en los basamentos del *gegenpressing* notamos ciertas particularidades que se repiten hasta el día de hoy, a pesar de contar con diferentes intérpretes en relación con aquellos que había emprendido este ciclo a mediados del 2015. Dicho principio de juego

está caracterizado por su ímpetu agresivo, cuyo fin es arremeter al rival que se apodera de la posesión del balón. El propio Jürgen se autopercibe como un equipo enérgico, pero siempre aclara que se mantiene dentro del marco "legal", haciendo alusión a los equipos que cometen faltas desproporcionadas en el desarrollo de un partido. "Somos agresivos, pero siempre uso la palabra 'legal también'. Usualmente, si intentas algo serás castigado", explicó Klopp.

Juanma Lillo, aquel técnico que fue la musa inspiradora de Josep Guardiola, entre otros, sostiene que el juego es una unidad indivisible, es decir, no hay momentos defensivos sin momentos ofensivos. Cualquier movimiento condiciona a la siguiente acción. Esta premisa no se arraiga simplemente a un determinado estilo de juego, más bien se caracteriza por ser una afirmación ecléctica, diferentes entrenadores del mundo sostienen este concepto. Jose Mourinho refuerza esta idea: "No consigo disociar dónde comienza la organización, si en la defensa o en el ataque. No consigo analizar las cosas de esa forma tan analítica". Esta tendencia por el *pressing* alto fue mutando a lo largo de la historia, presentando algunos matices, desde equipos históricos como aquella Hungría subcampeona del mundo en 1954 dirigida por Gusztáv Sebes, pasando por la mítica Naranja Mecánica de Rinus Michels en 1974 con su manada de lobos, aquel Milan de Sacchi a fines de los 80, el resurgimiento del Barcelona junto a Cruyff en los 90 y finalizando con el Barça de Guardiola, donde se produce su apogeo en el punto culmine sobre la famosa "regla de los cincos segundos" para recuperar el balón. Todas estas aristas recaen en la idiosincrasia de Jürgen Klopp a lo largo de toda su trayectoria como entrenador, posiblemente haya tomado relevancia de manera tardía durante su estadía en Dortmund, pero el entrenador alemán siempre se sostuvo con los mismos ideales desde el comienzo de su carrera en Mainz. "No construimos una barrera defensiva frente a nuestra propia meta. Lo que hacemos es preparar los goles mientras el oponente todavía tiene el balón. Queremos capturar el balón tan temprano que solo necesitamos un pase para pararnos frente al área rival. No corremos más que otro".

Cuando Liverpool realiza un pase impreciso y en consecuencia pierde la tenencia de la pelota, reacciona con diversas variantes, aunque siempre sosteniendo el mismo lema: adueñarse del balón de manera precipitada. Sus pérdidas habituales suelen ocasionarse por un intento fallido de cambiar la orientación del juego a través de un pase cruzado. Una vez que sucede, se percibe un ataque a la zona activa del balón de manera abrumadora, presionando ese sector con el objetivo de que el rival no pueda avanzar con tanta facilidad (de lo contrario se volvería un contraataque sumamente peligroso). Al cerrarse de esta manera, notamos que aparecen las superioridades numéricas, anulando las opciones de pase que tenga a corta distancia el poseedor rival, induciéndolo indirectamente a que resuelva de manera ineficaz y así se efectúe por completo la presión tras perdida.

Si el rival logra sortear ese *pressing* alto podrá seguir avanzando y la transición ataque – defensa se tornaría más perniciosa, ya que en principio habría salteado la primera línea de presión. Por lo tanto, Liverpool procura compactar al resto del equipo para no ceder más metros, evitando el repliegue hacia su propio campo. En este escenario son vitales los extremos y los laterales, ya que sus intervenciones usualmente son por las bandas y en esta situación ellos son quienes determinan el ancho del bloque defensivo. El jugador más lejano a la zona de intervención intuye que debe cerrarse cuando la orientación de la jugada puede continuar por esa zona del campo, generando que el posible receptor rival se limite a desarrollar la jugada por el centro del campo y en consecuencia las probabilidades de una pérdida aumenten deliberadamente.

Otro movimiento corriente que se presenta en estas situaciones es el de presionar el lado ciego del receptor. Es decir, ejercer la presión sobre la espalda del poseedor del balón con el jugador más lejano, produciendo un anticipo sorpresa.

"Simplemente no nos apagamos en el medio. ¿Por qué deberíamos tomar descansos? Hacemos ejercicio durante toda la semana, para luego estar en forma durante 90 minutos. Y tenemos un sistema claro. No solo picamos el área como las avispas. Atraemos al oponente y luego picamos", comentaba Jürgen Klopp en sus inicios como entrenador de Mainz, dejando en claro un concepto relacionado a su manera de presionar tras pérdida. Cuando su equipo no consigue hacerse dueño de la pelota en la primera instancia de la presión, intentan temporizar el progreso rival, atrayendo al contrincante hacia determinada zona para luego acumular gente y realizar el quite.

III. I Desmitificando al *Heavy Metal*

Un CD de Metallica, *Master of Puppet*, se encuentra sobre la estantería de la oficina de Jürgen Klopp. Está olvidado allí hace mucho tiempo, pero el polvo no le hace mella porque aún tiene el celofán que lo cubre. Alguna vez un fanático creyó literal la analogía que el alemán creó para compararse con Wenger, en la que expresó que Arsenal era "una orquesta, pero a él le gustaba más el *heavy metal*".

"Ni siquiera me gusta el *heavy metal*, aunque solía escuchar Kiss", Klopp aclaró que fue una broma. No obstante, en el imaginario colectivo se consolidó la imagen de un entrenador metalero, con la efervescencia de Dave Mustaine, la esencia de Rob Halford y la agresividad de Ozzy Osbourne. Más allá del vértigo que producen sus equipos en el campo de juego, se inclina hacia el estilo de la cantante pop alemana Helen Fisher, a la cual a ido a más conciertos suyos que de Rammstein.

Si de hacer un parangón con géneros musicales se trata, el estilo futbolístico de Klopp estaría más cercano al *punk* que al *heavy metal*: veloz, algo sucio y con mucho que decir. El *punk* nació a finales de la década de los setenta como respuesta de la juventud al virtuosismo del *rock* progresivo y decepción de la generación *hippie* en una Inglaterra marcada por la represión, el desempleo y la escasez de oportunidades. Jóvenes de los barrios obreros que no buscaban parecerse a bandas como Cream o Yes, de la misma forma en que los planteles de Klopp no son como Real Madrid o Manchester City.

Caminando por King's road de Londres, frente a la tienda *Sex* de Malcom McLaren, se paseaba Johnny Rotten con un remera blanca, escrita a mano, con la leyenda *I hate Pink Floyd*. Varios años después, en pleno auge del Barcelona de Guardiola, Klopp declaraba que "Si hubiese visto a este Barça a los cuatro años me hubiese dedicado al tenis". Mensajes de rebeldía que exceden los nombres propios y buscan atravesar un sistema de valores que no los representa, mientras lo combaten a su manera. En reiteradas ocasiones, Klopp reconoció su admiración por Guardiola y sus equipos, mientras que Rotten aclaró que no había nada personal contra Roger Waters, Syd Barrett o David Gilmour, a quien le confesó su gusto por *Dark side of the moon*.

Para Klopp la posesión es solo una estadística, ya que lo importante es "qué haces con el balón". En similar dirección que Pep Guardiola, cuando expresó odiar el *Tiki-Taka*. Desde su llegada a Liverpool fue buscando ser más dominador de los partidos ante los rivales de menor calibre. En las últimas tres Premier League se mantuvo entre los cuatro equipos de mayor porcentaje de posesión con un promedio por encima del 58%.

En el Camp Nou, el mediocampo estuvo compuesto por Milner, Fabinho y Keïta, sumado a Wijnaldum como "falso 9". De esta manera logró tener más porcentaje de posesión que Barcelona (52.5%), algo que solo había ocurrido una vez en Champions League en los últimos 13 años cuando, en esa misma edición, Tottenham tuvo valores similares.

Los jugadores que fueron reforzando las filas *reds* lograron darle variedad al estilo. El despliegue físico y la ductilidad de Keïta le permiten mejorar la circulación en los últimos tres cuartos del campo, además de ser un socio para el tridente de ataque. Fabinho logró hacerse del eje central de la cancha por sobre Henderson gracias a su precisión en el primer pase. Inclusive Klopp piensa en Adam Lallana como el primer reemplazante, ya que lo ve como "Jorginho en el Chelsea". No obstante, y en consonancia con el sentir del entrenador, más importante es qué hace con el balón: Liverpool llega y lastima. No es una posesión incómoda, ya no. Un encuentro emblemático con respecto a la metamorfosis del equipo fue el 26 de diciembre de 2018. En *Boxing Day*, evento emblemático para los ingleses, ganó cuatro a cero al Newcastle, alcanzando picos de 75% de posesión, con 16 chances creadas. Fue de los mejores días del equipo bajo el mando de entrenador alemán. No obstante, al partido siguiente goleó 5-1 al Arsenal y perdió en cuanto a la tenencia de posesión, alcanzando solo un 48%. Esto no hace más que denotar el poder de Liverpool para adaptarse a diferentes estilos. Se siente cómodo corriendo en el juego *box to box*, pero al siguiente encuentro puede tocar, conectar y no desesperar. Es un ingreso y egreso de cada estilo según le convenga: un equipo completo, sin miedo al barro.

La motivación de Klopp en cuanto al fútbol es evidente desde que es niño, su perspectiva es taxativa: "No solo quiero ganar, también quiero sentir". Similar a la visión de Joe Strummer, líder de The Clash, que dejó en claro su manera de pensar en el programa de John Snyder: "No me interesa escribir canciones de amor, yo solo quiero contar lo que no sale en los diarios". Como The Clash, Liverpool es el único equipo que importa.

Capítulo IV

FICHAJES

"Queremos ver unidad arriba de un escenario, eso nos saca de nuestra individualidad, nuestro devenir por la vida, chocando con obstáculos sin llegar a nada."

Joe Strummer

Final Fantasy es uno de los videojuegos más influyentes de la historia. Publicado en 1987, en Japón por Hironobu Sakaguchi, en su primera edición se debía escoger entre distintas clases de personajes para comenzar la aventura: mago negro, maga blanca, mago rojo, ladrón, monje o guerrero. El jugador era el encargado de tomar esa decisión acorde a sus gustos y a qué tipo de grupo necesitaba para llevarlo a cabo. Con cualquier personaje se podía completar el juego, pero la forma sería distinta dependiendo de sus decisiones.

Aunque no haya tocado uno en su vida, Klopp sería un excelente jugador de juego de rol, sobretodo en su vertiente japonesa: el JRPG. Cuando debe conformar sus planteles busca futbolistas con las características necesarias para llevar a cabo su cosmovisión del fútbol. De esto se trata tanto el fútbol como los juegos de rol, de interpretar.

Lo principal es demarcar el estilo, a partir de ello buscar a los jugadores que sostendrán la representación de esa idea con mayor fidelidad. La política de compra de Jürgen nunca fue contratar mega estrellas para armar una constelación rompiendo el mercado y quebrantando un grupo, un sistema. En ninguna institución donde dirigió adquirió futbolistas del Real Madrid, Barcelona u otros equipos del momento. Siempre se mantuvo fiel a la características de *bonito y barato*, encontrando así a quienes podían interiorizar de la mejor manera su pensamiento futbolístico.

Cuando, en 2016, Manchester United decidió hacerse de los servicios del francés Paul Pogba a cambio de 120 millones de euros, Klopp realizó una declamación de valores en conferencia de prensa, al decir que otros clubes pueden ir y gastar más dinero para coleccionar jugadores *top*, pero él quería hacerlo diferente. Incluso si pudiera gastar todo ese dinero. Dejaba claro que su idea colectiva siempre estuvo por encima de lo individual, incluso al momento de adquirir, años después, a Virgil Van Dijk por 85 millones de euros, siendo el defensor más caro de la historia. A pesar de que su nombre estaba en franco ascenso en el mundillo local, el holandés no se hallaba bajo el radar de los ojeadores de la élite. Fue una apuesta con sentido, sin ser una estrella sería un personaje vital para desarrollar la idea de Liverpool.

"Está bien saber quien fue el mejor jugador de la temporada pasada, pero a mi me fascina mucho más encontrar al que será el mejor jugador de la próxima", comentó en esa misma conferencia de prensa. En el mercado de 2016, además de Pogba, Manchester United adquirió a Henrikh Mkhitaryan al pagarle la nada despreciable suma de 42 millones de euros al Borussia Dortmund, club al cual Klopp lo había llevado en 2013 por 27,5 millones de euros, luego de jugar en Shaktar Donetks. Klopp encontró un futbolista con potencial de futura estrella, Manchester United la adquirió cuando corroboró sus capacidades, pero luego lo traspasó a Arsenal por una suma menos de 34 millones de euros, sin haberle podido exprimir su talento.

Sin dudas, la etapa más compleja para negociar y resultar atractivo fue en Mainz 05, una institución humilde en comparación con las otras dos históricas en las que estuvo al mando. Es interesante el trabajo de hormiga que realizaba para buscar empatizar directamente con los futbolistas. Explica Klopp: "Siempre intentamos llamar directamente a los jugadores que queríamos contratar, porque cuando hablábamos al teléfono con sus representantes ellos colgaban al escuchar nuestra oferta pensando que era una broma". Cuando un entrenador debe manejar presupuestos flacos, tiene dos caminos: ser creativo o conformarse. Así como diversos directores de cine realizaron sus mejores películas con poco dinero, porque la carencia estimulaba la imaginación, Klopp debía construir un castillo con algo de arena. El mediocampista colombiano Elkin Soto, que pasó una década en Mainz 05 jugando más de 200 encuentros, comentó que su llegada al conjunto carnavalero se debió a una cinta de video con compactos de encuentros suyos en Barcelona de Guayaquil, que un ojeador le envió a Klopp.

Más visto que Elkin Soto fue Georginio Wijnaldum. Al finalizar la campaña 2015/2016, en Liverpool estaba claro que un gran escollo del equipo era la poca cantidad de goles marcados por los mediocampistas. Milner, Lallana, Henderson y Emre Can convirtieron, en total, 12 goles en Premier League, mientras que Wijnaldum llegó a 11. Klopp leyó que precisaba un futbolista con esas características, que llegue al área rival y tenga posibilidades claras de convertir, por eso, a pesar de haber descendido con Newcastle, decidió pagar la suma de 27, 5 millones de euros.

Klopp no camina solo a la hora de elegir los futuros jugadores de Liverpool. Su mano derecha es Michael Edwards, director deportivo de Liverpool. Un joven de 38 años, de aspecto sencillo y trato cercano con los trabajadores del club, similar a Klopp. Es el encargado de negociar con agentes, presidentes, jugadores y supervisar la vasta red de scouting del club. Suelen desayunar juntos en Melwood, analizando los distintos prospectos a seguir, realizando un examen detallado y leyendo informes para luego comunicarle los pasos a seguir a Mike Gordon, presidente del Fenway Sport Group (empresa norteamericana que compró Liverpool en 2010), principal accionista del club y una conexión entre las oficinas en Inglaterra y Estados Unidos. Gordon se ocupa de marcar presupuestos e intentar satisfacer los pedidos, pero también fue clave en la negociación por Van Dijk al rehabilitar las relaciones con Southampton. Edwards busca, Klopp selecciona y Gordon compra. El trinomio se desenvuelve en armonía y con el objetivo de que Liverpool crezca. "Nos gusta trabajar juntos: Mike Gordon, Michael Edwards y yo. Es una relación realmente saludable", expresó Klopp.

La escala piramidal sigue, más abajo se encuentran Dave Fellows, jefe de los scoutings, y Barry Hunter, principal scout del club. Ellos son los encargados de recopilar los datos y videos de cientos de jugadores en distintas partes del mundo, para elevarlos a Edwards y Klopp. Fueron vitales en la contratación de Roberto Firmino al crear un informe detallando que el brasileño, entonces en Hoffenheim, estaba a la altura: "No importa cómo es el clima, cómo es el terreno de juego, o incluso quiénes son los oponentes: Firmino juega siempre con determinación". También fueron los protagonistas del arribo de Mohamed Salah, puesto que insistieron a Klopp argumentando que era la solución que Liverpool necesitaba.

Lo que puede parecer una situación natural como contratar futbolistas, teniendo en cuenta que realizar una propuesta de adquisición con el escudo de Liverpool en el pecho genera un marco positivo, de mayor probabilidad, gracias al anclaje de la historia de un ganador de Europa, no era así en años anteriores. Durante la época de Brendan Rodgers a la cabeza y de Ian Ayre como director deportivo, se intentó sin éxito adquirir figuras de renombre como Toni Kroos, Willian y Alexis Sánchez. Con Edwards se modificó la política de fichajes, dándole mayor relevancia a los scouts y apuntando a apellidos más terrenales, sumado a la figura carismática de Klopp que también es atrayente. Así fue como Wijnaldum desestimó Tottenham; Naby Keïta al Barcelona y Alexander Oxlade-Chamberlain al Chelsea, para formar parte del proyecto rojo. Aunque, claro, también estuvieron los casos de Julian Draxler o Leon Goretzka, que eligieron Paris Saint-Germain y Bayern Münich respectivamente, porque iban a percibir más dinero, o Julian Brandt y Ryan Sessegnon, que no imaginaban la titularidad en un equipo armado.

La figura de Klopp fue un atractivo para muchos protagonistas, entre ellos Marco Reus y Sadio Mané. El primero se decantó por Borussia Dortmund cuando aún estaba en el Borussia Mönchenglabach, tras una reunión con el entrenador, como él mismo contó: "Te pone bajo su hechizo y no te dejará ir. Mi corazón se aceleró después de que hablamos por primera vez. Definitivamente fue una de las razones por las que firmé con Dortmund". Mientras que el senegalés esperó temporadas para llegar a las manos correctas. La relación entre él y Jürgen tiene precedentes de cuando Mané formaba parte del Red Bull Salzburgo, en la liga austríaca. Se reunieron, pero al final las negociaciones se congelaron y se fue a Inglaterra. Una vez en Southampton, instituciones míticas como Manchester United quisieron hacerse de sus servicios, incluso habló con el entrenador, nada menos que Louis van Gaal, y le esbozaron una oferta de traspaso. Pero Mané entendió que no era el club ni el momento adecuado, así que decidió negarse. Unos días después suena su teléfono. Era Jürgen Klopp. "Sadio, ¿cómo estás? Me sigues interesando". No se lo pensó dos veces, aceptó. Según el delantero este sí era el momento, el entrenador y el club adecuado.

Desde la llegada de Klopp a Liverpool, en 2015, la institución contrató diez apellidos: Mané, Wijnaldum, Salah, Robertson, Oxlade-Chamberlain, Van Dijk, Keïta, Fabinho, Xherdan Shaqiri y Alisson. Todos conformaron el plantel campeón de la UEFA Champions League, siete de ellos fueron titulares. Sus contrataciones se pensaron para solventar falencias evidentes, como en los casos de Alisson y Van Dijk, o darle profundidad a ciertos puestos, Shaqiri o Keita. También están los sucesos como el de Joel Matip, quien llegó como agente libre para, luego de una disputa competitiva con Joe Gomez y Dejan Lovren, erigirse como defensa central inamovible al lado de Van Dijk. Hoy en día, con un Liverpool que sale de memoria, es difícil pensar al equipo sin él. Incluso Klopp ponderó este refuerzo como uno de los mejores en su estadía puesto que consiguió jerarquía al mejor precio. Gratis.

IV. I Potenciamiento de futbolistas

Cuando el grupo de guerreros está conformado toca subirlos de nivel. Es un arduo trabajo que lleva a diversas peleas aleatorias contra enemigos que aparecen en el mapa para que el personaje se pueda volver más fuerte y aprende habilidades nuevas. Así es esta etapa del Final Fantasy, repetitiva, frustrante, pero cuando llega el momento de enfrentar a las diferentes transformaciones de un jefe final, que tiene la fuerza de los dioses y hace 9999 puntos de daño, el equipo se encuentra lo suficientemente preparado para poder ganar y que el mundo se vuelva un lugar mejor. No hay miedo y, al lograrlo, la satisfacción es enorme.

Si hay un especialista en grindeo[1], es el entrenador alemán. Ha conformado planteles con jugadores de escaso renombre internacional y los ha favorecido para dar el máximo nivel de sus capacidades. El equipo de Borussia Dortmund, que llegó a la final de Champions League en 2013, contaba con Robert Lewandowski proveniente del Lech Poznan por 4.8 millones de euros, también con İlkay Gündoğan comprado por 4.5 millones de euros al FC Nüremberg. Ambos fueron

---

1   Grind (rutina, trabajo pesado en español) es un término del mundo de los videojuegos para describir el proceso por el cual un jugador realiza acciones repetitivas con el fin de obtener acceso a otras funciones

potenciados gracias al trabajo diario de Klopp, lo que los llevó a ser de los mejores jugadores en su posición en pocos años.

Lewandowski resaltó la importancia de la confianza que le brindó Klopp en su llegada a Borussia Dortmund: "Creo que lo que aprendí de él es la creencia de que podría jugar al más alto nivel. Él tenía esta influencia y me ayudó a dar el siguiente paso. Me hizo darme cuenta de que tenía más potencial del que había imaginado. Él podía ver algo en mí que yo no podía ver. Nunca conocí a un entrenador que me dijera que podría ser un jugador importante". Gündoğan lo valoró de la misma manera al recordar su llegada al Borussia Dortmund: "Llegué al Dortmund desde un club relativamente pequeño y fue complicado encontrar un sitio en el equipo durante los seis primeros meses. Sinceramente, era tímido y no estaba preparado para ciertas cosas, pero gracias a Jürgen y los compañeros, mejoré. Le debo mucho".

En el verano europeo del 2013, cuando se preveía la no renovación de Lewandowski, Klopp optó por la contratación de Pierre-Emerick Aubameyang. El gabonés fue adquirido del Saint-Éttiene, donde había marcado 19 goles en la última Ligue 1, por 13 millones de euros. En su primera temporada, compartiendo ataque con el polaco y Marco Reus, se ubicó como extremo por derecha para poder sacarle provecho a su velocidad. Con la ida de Lewandowski, y ante el intermitente desempeño de Adrián Ramos y Ciro Immobile, Klopp lo ubicó como centrodelantero en un equipo de más contragolpeador y aprovechando su capacidad de definición. El gabonés reconoció que Klopp lo ayudó a volver a jugar en su posición favorita, la de centrodelantero. Que le dio fuerza de carácter y fue importante para su progreso. Decía, también, que es una persona carismática y digna de todo el respeto. Tras cuatro temporadas y media, las últimas con Thomas Tuchel como entrenador, sería vendido al Arsenal por 63.75 millones de euros.

Otro ejemplo de generación de contextos propicios para explotar el potencial tuvo lugar con el egipcio Mohamed Zidan, dirigido por Klopp en Mainz 05 y Borussia Dortmund. Sus caminos se unieron cuando llegó procedente de Werder Bremen por 2.52 millones de euros y, luego de una temporada y media, fue transferido al Hamburgo por 5.85 millones de euros. Bajo sus órdenes marcó 37 goles, mientras que en sus etapas en Werder Bremen, Hamburgo y en su regreso a Mainz en 2011, ya sin Klopp, solo anotó 11 veces.

En Final Fantasy 7, al final del primer disco, el jugador pierde a Aeris y se genera la sensación de que el esfuerzo invertido en desarrollar sus habilidades fue en vano, porque su final era inevitable. Es una frustración como la que sintió Klopp en cuatro casos concretos: Nuri Sahin, Shinji Kagawa, Mario Götze y Philippe Coutinho.

Luego de ser una pieza fundamental en el equipo campeón, Sahin abandonó Borussia Dortmund en 2011 para fichar con el Real Madrid, donde jugó un puñado de encuentros durante una temporada para seguir su derrotero algunos meses en Liverpool y luego regresar a Dortmund. "En Liverpool comencé la temporada muy bien, pero una vez que tuve una oferta de Dortmund a mediados de la temporada, simplemente no pude resistir la posibilidad de volver a trabajar con Jürgen Klopp". Su nivel nunca volvió a tener el impacto que lo hizo viajar hacia Madrid y en 2018 recaló en Werder Bremen.

Suerte similar siguió Kagawa, mediocampista japonés que en 2012 dejó los colores amarillo y negro para vestirse de diablo rojo. En Manchester United no pudo brillar, seguramente por una concatenación de factores, pero su posición en el campo era una causa relevante. Klopp seguía a su muchacho y le dolía: "es uno de los mejores jugadores del mundo y ahora juega veinte minutos en el Manchester United, ¡en el extremo izquierdo! Mi corazón se rompe. Realmente tengo lágrimas en los ojos". Algunos años después retornó al oeste alemán, pero tampoco alcanzó su mejor nivel. Su salida definitiva de Borussia Dortmund fue en 2019 para jugar en Zaragoza de la segunda división española.

Mario Götze fue vendido al Bayern Münich antes de la final de UEFA Champions League en 2013. La noche posterior al partido por cuartos de final ante Málaga, Michael Zorc, gerente del Borussia Dortmund, le comunicó la noticia a Klopp. Decidió alejarse, tomarse un tiempo para procesar la información y poder comprender por que Mario había tomado esa decisión. Ni siquiera su esposa, con quien tenía planeado ir al cine, pudo lograr sacarlo del estado catatónico y taciturno en que se encontraba. Luego de dar mil vueltas se encogió de hombros y pensó: "Si eso es lo que quiere... El Bayern es como James Bond, excepto que son el otro tipo". Intentó convencer a Götze, decirle que iban a volver por él en un par de años, que todavía era joven, pero fue en vano. Al igual que Sahin y Kagawa, el nivel de Götze sin la tutela de Klopp fue bajo y acabó regresando.

Tal vez el caso más sonado fue el de Coutinho. Luego de sus silenciosos pasos por Inter y Espanyol de Barcelona, logró mostrar sus destrezas potenciadas por el estilo ofensivo que proponía Liverpool. En un equipo sin figuras aparentes, el brasileño era la cara de la ciudad. Era aquel que aparecía en todos los *highlights* semanales de la Premier League con algún remate, pase o finta. Conforme pasaron los encuentros, su vida en la ciudad era incómoda y, en cuanto a lo futbolístico, vio con mayores probabilidades ganar una Champions League en una institución como Barcelona que en Anfield. Otra vez Klopp buscó persuadir a la estrella que se le escapaba. Prometió que allí podía ser parte de una historia épica que se estaba gestando, que lo inmortalizarían en bronce como a una leyenda. Pero Coutinho se fue al comienzo del 2018. La historia acabó igual que las tres anteriores, nunca terminó por encajar en una institución compleja y fue ofrecido como moneda de cambio al PSG para destrabar la novelesca "operación Neymar". Finalmente fue cedido al Bayern Münich antes del comienzo de la temporada 2019/2020.

Atraídos por cantos de sirena, ninguno comprendió que la idea colectiva de Klopp era la gran responsable de generar el contexto para que puedan rendir por encima de sus posibilidades.

IV. II Conformación de equipos: el todo es más que las partes

En el mundo deportivo hay dos pilares de la filosofía *gastar poco y potenciar mucho*: Gregg Popovich y Bill Belichick. Ambos transformaron en las últimas décadas a franquicias históricamente perdedoras en dinastías multiganadoras. El primero, con San Antonio Spurs, realiza búsquedas de jugadores en Europa –por su estilo de juego en equipo- y jugadores de rol que no tienen espacio en equipos con grandes estrellas. El segundo, con New England Patriots en la NFL, ha logrado armar planteles ganadores con jugadores versátiles que buscan una segunda oportunidad, considerados sin demasiado talento por otros o potenciando a las selecciones de *draft*, como fue el caso de llevar a Tom Brady, un Quarterback (QB) drafteado 199, a ser el mejor de todos los tiempos. Al igual que Klopp, ninguno paga onerosos contratos ni hace contrataciones que rompan un mercado. Son artesanos que van moldeando sus creaciones para que reflejen lo mejor posible sus ideas.

Ambos entrenadores destacan más el lado humano: cómo se relacionan, cómo afrontan la adversidad y las frustraciones o, incluso, el sentido del humor para saber si tienen un prospecto que pueda elevar el nivel de equipo. Popovich explicó: "Estamos buscando personas, y lo he dicho muchas veces, quienes se han superado a sí mismos y se puede decir así de rápido. Puedes hablar con alguien durante cuatro o cinco minutos y puedes decir si se trata de ellos, o si entienden que son solo una pieza del rompecabezas. Así que buscamos eso". En la misma sintonía está Belichick: "Tiene que ser resistente mental y físicamente, inteligente para tomar decisiones, que entienda el juego y sea fiable en situaciones críticas para contar con que van a poder desempeñarse bajo presión. Puedes contar con esos jugadores para que ejecuten lo que quieres ejecutar como un equipo. Cuanto más difícil es el juego, más crítico es el juego, más importante es la situación, más quiero que el jugador fuerte, inteligente y confiable del juego, en el ojo de la tormenta, tome una decisión que debemos tomar para que podamos ganar". Matt Light, quien fue tackle izquierdo de los Patriots entre 2001 y 2011, lo resumió la búsqueda en tres palabras: "Inteligente, rápido y desagradable".

Klopp tiene su idea muy clara y así lo expresó: "El juego se trata de jugar juntos. Así lo entiende todo el mundo en el fútbol. Siempre quieres tener lo mejor, pero construir el grupo es necesario para tener éxito". Se centra en el carácter del prospecto, en cuáles son sus anhelos y cómo lleva su vida, porque conociendo a la persona sabe que podrá ser beneficiosa para el bien común. "Siempre digo que nunca estoy seguro de si un jugador es un *crack* hasta que no sé si es buen o mal tipo. Porque puede ser un genio, pero si solo me ayuda tres veces al año y en el resto de los partidos me crea problemas...".

En la etapa como entrenador de Mainz 05 fue perfeccionando su propia versión de *Moneyball*, centrada más en la calidad humana que en las estadísticas. Junto al director deportivo Christian Heidel, realizaban entrevistas con los jugadores y sus familias. No tenían margen de error ante el escaso presupuesto, con lo cual debían lograr un perfil detallado del carácter de cada uno para saber si encajaban con filosofía del club y que tan comprometidos estarían estos. "Hablamos más sobre la vida, no tanto sobre el fútbol. Quería tener una idea general de mí como persona", comentó el estadounidense Conor Casey sobre la reunión que tuvo con él antes de fichar en 2004.

Al adquirir a Mohamed Salah por 37 millones de euros, proveniente de AS Roma, se generaron dudas entre aficionados y prensa puesto que el egipcio había sido parte del Chelsea entre 2013 y 2015, pero no logró asentarse. Según José Mourinho, no lo veía adaptado a la ciudad ni fuerte físicamente para competir en un torneo tan desgastante como la Premier League. A pesar de sus buenas actuaciones en Italia, aquella imagen era la que seguía en las retinas inglesas. No obstante, Klopp y su grupo tenían claro que el estilo de Salah encajaba con su familia, su carácter alegre, su madurez y, sobre todo, la sed de revancha que tenía por triunfar en Inglaterra. Este perfil, sumado a la insistencia de sus scoutings, lo convencieron de ficharlo para Liverpool.

Crear un grupo granítico, homogéneo, que en sus interrelaciones se potencien los unos a los otros, siempre estuvo por encima de buscar impactar el mercado con un jugador "vende camisetas". Como el mismo entrenador explicó, "puedes firmar una gran cantidad de basura con dinero o puedes tomar decisiones realmente buenas". En la práctica fue igual de tajante. Cuando en plena pretemporada por Estados Unidos fue consultado acerca de una posible contratación de Gareth Bale, respondió que "me gusta mucho, pero esto se trata de crear un equipo. No es la colección de las mejores individualidades".

Liverpool había alcanzado el cielo y era hora de materializarlo. Luego de la victoria ante Tottenham, tocaba levantar la copa. El capitán, Jordan Henderson, entre medio de todo el plantel bullicioso, tuvo un segundo más de lucidez; llamó a Jürgen Klopp y al subcapitán, James Milner, para que incluso eso fuera un trabajo en conjunto. Quería exteriorizar que había sido un logro colectivo. Es una muestra totalmente gráfica de la mancomunión lograda. Todos son uno.

Capítulo V

LOS FUTBOLISTAS

"Bien sé que el hombre es capaz de acciones grandes, pero si no es capaz de un gran sentimiento no me interesa."

El Extranjero, Albert Camus.

V. I Costo no es valor: Virgil Van Dijk

En los últimos meses de 2017 se percibía en Gran Bretaña que Liverpool acortaba distancias competitivas con los equipos más importantes de la liga, pero para convertir el deseo en realidad era necesario dar un salto de calidad incorporando futbolistas de jerarquía.

Es injusto partir un equipo en defensa y ataque, puesto que el fútbol es un juego de interrelación donde los once compañeros se distribuyen en el campo para cumplir sus roles en pos de un objetivo común, no obstante el desbalance entre el Liverpool que atacaba intrépidamente y que presionaba a los rivales en la primera línea defensiva era enorme con respecto al resto de los aspectos del juego. El equipo sufría demasiado cuando el rival rompía la primera línea de presión, o en los lapsos que pasaba de sometedor a sometido.

La clave era que Liverpool cometía grandes cantidades de errores no forzados, un aspecto inadmisible para un plantel con aspiraciones de discutirle a los más onerosos de la liga. En esto del fútbol, el que menos se equivoca suele tener mejores probabilidades de vencer. El tridente defensivo conformado por centrales y portero no era garantía. En cuestión de segundos, mediante errores elementales, podían destruir una gran propuesta llena de merecimientos.

Este es el contexto en el cual se anuncia el fichaje de Virgil Van Dijk, rotulado rápidamente por la prensa mundial como el defensor más caro de la historia, pues se desembolsó por él una cifra cercana a los €85.000.000. Con esta contratación Klopp da un mensaje tan directo como implícito: Liverpool dará pelea.

Alguna vez Brian Clough, entonces en el Forest, sostuvo ante la prensa que el verdadero monto desembolsado por Trevor Francis solo alcanzó los £999.999, para no hacerle cargar el peso de ser el primer futbolista en costar un millón. Es que convivir con el peso de una etiqueta tan grande no es una situación sencilla de sobrellevar para un futbolista. Cuando se mencionaba a Virgil, la prensa no escribía su apellido sin que preceda el mote que recordaba su precio. Ingresar a un campo debiendo cubrir las imposibles expectativas que genera el dinero no es un escenario para cualquier tipo de personalidad.

Por fortuna, el devenir de la vida del defensor lo transformó y su actitud sosegada se impone a la ansiedad que conlleva la responsabilidad de ser pilar fundamental en una estructura tan importante. Es que, en sus inicios, fue considerado como técnicamente limitado por sus entrenadores. A sus 20 años pujaba por un espacio en Groningen, incluso venía con un pasado nada exitoso en la academia de Willem II. Tiempo más tarde fue rechazado por Marc Overmars para formar parte del Ajax. "Creo que es un muy buen ejemplo para nunca rendirse. Sigue trabajando por tus sueños. Cada paso de mi carrera fue un trabajo duro. He dado todo lo que tengo, pero todavía tengo más por dar en cada aspecto de mi juego".

Sin restarle épica, que de hecho la tiene, la historia de Van Dijk en Liverpool es tan sólida y constante como él. Desde su debut en el clásico de Merseyside por la tercera ronda de la FA Cup, anotando el tanto que daría la agónica victoria y el consecuente pase a Liverpool. El defensor comentó que la emoción era mayor al nerviosismo, estaba sorprendido con su calma. "Ya no estoy nervioso. Es algo que aprendí a lo largo de los años y es algo de lo que estoy muy feliz. Si estás nervioso, piensas: 'No quiero cometer errores ni regalar la pelota'. Pero entonces limitas tus propias cualidades. Con los años he desarrollado la mentalidad de que hay muchas cosas más importantes en la vida".

El precio de un futbolista siempre es relativo, pues valor y costo no son sinónimos. El fútbol es un deporte contextual, cada futbolista tiene una relación muy estrecha con su compañero dentro del campo. Unos definen a los otros. De este modo, en el mejor de los casos, las virtudes se pueden ver potenciadas, o bien, en un mal día, desalentadas. Esto explica el verdadero valor del defensor holandés, a su lado apellidos como el de Matip o Joe Gómez, ambos compañeros de zaga central en algún pasaje de la temporada, elevaron sus actuaciones a niveles nunca antes alcanzados. Esto, con la otra importante incorporación del brasileño Alisson Becker, seis meses más tarde. Por unos días del alocado mercado fue el portero más caro del mundo, llevando a Liverpool a sentirse sustentado en su parte trasera, pues las espaldas del arrollador ataque estaban cubiertas.

Durante la temporada 2018-2019 se consolidó como el mejor jugador de la Premier League y uno de los mejores defensores del mundo, sino el mejor. La primera marcación aguda, tal vez intangible al juego pero muy necesaria, es la voz de mando que ha aportado. En un rápido seguimiento, tenga o no el balón, se lo puede observar repartiendo indicaciones, ya sean consejos para una marca más eficiente, señales de atención o en la salida con balón dominado, indicando qué hacer a sus compañeros. Fabinho Tavares, mediocentro defensivo que siempre se encuentra cerca de Virgil, reconoció que dentro del campo es la voz de mando, quien le grita a todos y aceptan sus órdenes sin hostilidades. Asimismo, es admirado en el seno de plantel por su aplastante superioridad. Dice el brasileño: "Es rápido. Y resulta divertido que parezca que no le supone un esfuerzo correr. Lo hace así, como un tipo grande, y llega fácil al balón. El juego aéreo es divertido. Le oímos gritar '¡Virg!'. Y lo dejas pasar, sea quien sea el delantero. Nos íbamos a enfrentar a Romelu Lukaku y pensé 'Lukaku es de su mismo tamaño, a ver si aguanta'. Dios mío. Todos los balones aéreos fueron '¡Virg!', y venía corriendo. Oyes '¡Virg!' y te apartas porque vendrá corriendo". Liverpool carecía de una autoridad dentro del campo que pudiera mantener al equipo enfocado durante lo que corresponda al encuentro y la encontró.

La marca que impregna al equipo de Klopp es explotar las transiciones ofensivas, pero en su tercera temporada se ha visto una intención de efectuar una superioridad desde el dominio más sosegado. Las estadísticas de posesión subieron cuando los rivales entendieron que darle espacios para correr no era una buena estrategia. Se volvían en bloques defensivos mucho más marcados que buscaban transicionar a Liverpool. Es decir, ganarles en su propio juego. En este punto, la presencia de Van Dijk con sus anticipos en el mediocampo se volvió importante para evitar el juego *box to box* y mantener el dominio en lapsos prolongados del juego.

La característica que va a atravesar el análisis del holandés es la agresividad en marcaje. Haciendo lo propio en estos quites en zonas altas del campo, mayormente con el rival de espaldas y con una avidez por la recuperación emocionante. No siempre fue así, de hecho el futbolista que llegó a Southampton en 2015 no lo hacía. Se limitaba a defender en su área, porque no le gustaba jugar con grandes espacios. Su exentrenador, Claude Puel, recuerda que le enseñaba videos de defensores que jugaban con cincuenta metros a sus espaldas, como Piqué, y que Virgil prefería seguir en su zona de *confort*. Con el tiempo, finalmente, logró evolucionar.

El fútbol tiene su gran duelo mental. Los futbolistas son humanos, por lo tanto pueden frustrarse, alegrarse, contagiarse, entre otras sensaciones dentro de un mismo encuentro. Enfrentar a Van Dijk no ha sido fácil para ningún atacante, pues en cada faceta tiene puntos fuertes. Una estrategia hija de la lógica y de todos los libros imaginarios del fútbol es, ante un gigante que pasa el metro noventa, buscar duelos individuales para superarlo por velocidad y astucia. Lo que sería, en este caso, un error: es el defensa al que le contabilizan un duelo perdido en un año calendario. Es muy inteligente para este tipo de pleito, puesto que siempre se encuentra con una buena perfilación corporal para el lado que le pide la jugada, por lo tanto suele saber llevar a los delanteros rivales a jugar con su pierna menos hábil o elegir la opción que menos le conviene. Los momentos cumbre de este movimiento los realiza a la hora de temporizar, es decir, aguantar la posición cuando está en inferioridad numérica para lugar poder robar el balón o molestar al rival lo máximo posible para que no sea efectivo. Es muy intuitivo, sabe cuándo y dónde. La lectura de juego es una herramienta poderosa que lo ha llevado a verse en muy pocas ocasiones mal parado.

En función de ataque ha sido una pieza angular del Liverpool, que comienza atacando por su pie tan sensible en el golpeo. Una opción que utiliza mucho tiene que ver con los pases cruzados que realiza, aprovechando la apertura que genera el equipo en los extremos y en los laterales. Tiene gran precisión. Esto le ha solucionado algunos problemas de gestación al equipo, aportándole una capa más de profundidad al momento de desactivarlo.

Las capacidades de Van Dijk hacen pensar que podría haber alcanzado el éxito en cualquier gran institución, es una anacronía que se aceptaría en los debates. No obstante, la compenetración que logró en este equipo parece imposible de alcanzar en otro espacio, puesto que se lo percibe omnipresente, extraterrenal, dominando cada faceta del juego a la perfección.

V. II El Ying y el Yang: Trent Alexander Arnold y Andrew Robertson

El realismo mágico en el fútbol es una género muy buscado, pues es el pozo de donde se pueden sacar historias que generen emociones más allá del juego. El Liverpool que formó Klopp para la temporada 2018–2019 tenía, como un gran y complejo rompecabezas, piezas disímiles con vivencias de distintas tonalidades que hacían de este equipo, una vez completado el rompecabezas, una estructura con matices interesantes desde lo futbolístico pero también a nivel humano. Y si bien los laterales de un equipo podrían nunca juntar sus piezas, pues cada uno tiene una línea tan vertical como simultánea, en la última temporada no hicieron más que coincidir. Trent Alexander Arnold y Andrew Robertson fueron factores diferenciales en Liverpool. Sus aportes ofensivos fueron determinantes para crear a un equipo más allá del tridente.

En diferentes líneas temporales, pero a la misma edad, los laterales tenían que adaptarse a contextos totalmente distintos.

El calendario marcaba 2012 y, a pesar que las predicciones apocalípticas fueron totalmente burladas, había un joven de 18 años que no estaba bien. "La vida a esta edad es una basura sin dinero. Necesito un trabajo", escribía en su cuenta personal de Twitter Andy Robertson.

En el extremo opuesto de la banda, y varios años más cerca en el tiempo, a sus 18, Alexander Arnold anotaba su primer gol con Liverpool. Y el marco no podía ser mejor: por Champions League y de tiro libre, mientras Klopp lo halagaba a su manera: "(...) tener las hagallas para patear un tiro libre como ese, es más interesante y emocionante para mí que un pequeño error que cometió".

El escocés, que en su adolescencia estuvo a tan solo un año de ese contrato profesional que lo libraría de la gran cantidad de trabajos que tuvo que realizar más tarde, logró su boleto a la profesionalidad sobre la chicharra. El Dundee United lo fichó y se convirtió en su pieza clave durante dos temporadas. Fue el primer guiño.

Trent siempre fue un competidor. En su casa había motivaciones y estímulos constantes para aprehender el conocimiento. Llevar los estudios a la par que el fútbol, incluso las competencias de ajedrez con su hermano. En 2018 jugó una partida contra Magnus Carlsen, aguantando diecisiete movimientos, ocho más que Bill Gates.

En 2015, mientras Robertson descendía a Championship con Hull City, Alexander Arnold participaba de competencias internacionales con Inglaterra U-17.

Luego de un ascenso y otro descenso, en Hull City, diversas instituciones se fijaron en el lateral escocés. De todos modos, su caótica forma de llegar a una zona de relativa tranquilidad en el mundo del fútbol, lo hizo rechazar todas aquellas. Hasta que Liverpool llamó.

Si Andy es un producto propio, Trent tiene el sello de la Academia de Liverpool. Su técnica tiene un por qué. Inicialmente su función era la de centrocampista. Las características de su juego eran totalmente ofensivas. Destacando, como ahora, su gran golpeo y velocidad. Pero, como a Robertson, los avatares del fútbol obligan a tomar decisiones. La plantilla del primer equipo tuvo un hueco. Nathaniel Clyne era el único lateral derecho disponible luego de las lesiones de Joe Gómez y Jon Flanagan. En la Academia no había reemplazantes naturales adecuados para tomar el lugar. Entonces llegó el momento: haría su prueba como lateral derecho para tomar su lugar en las ligas mayores.

Rápidamente el entrenador de Liverpool, Brendan Rodgers, le echó el ojo. Luego de esto, en la Academia se encargaron de educarlo tácticamente. Había que reformar a un futbolista. Por fortuna, Trent tenía una educación receptiva gracias a su formación de niño.

Hull City descendido. Julio de 2017. La película se repetía y seguramente Robertson no bajaría los brazos. Pero Jürgen Klopp intercedió. Así como la oportunidad de Alexander Arnold apareció lesiones mediante, la del escocés también. Alberto Moreno sufría una lesión y fue el momento indicado para pagar 10 millones de libras por un futbolista que había descendido por segunda vez en tres años. El segundo guiño. La confianza en el momento exacto.

Había que crear un lateral derecho. En la Academia perfilaron a Alexander Arnold según sus cualidades. Le mostraron horas de videos con intervenciones de Philipp Lahm y Dani Alves, tanto en carácter defensivo como ofensivo. "Y no se trataba solo de los laterales. Fueron los defensores en general, sus movimientos corporales, cuándo abandonar y empujar hacia adelante, todo tipo de cosas". Si vas a copiar, copia a los mejores.

Entonces, por primera vez, los caminos de Robertson y Alexander Arnold confluyeron. El adolescente que tenía hasta la bendición de Gerrard junto al joven cuya carrera era un cardiograma.

Evidentemente, Robertson no iba a comenzar su trayecto en Liverpool armónicamente. Está escrito en su destino: *dejarse sus dos pelotas*.

Hasta la fecha 15 de su primera temporada (2017/2018) solo fue parte del plantel seleccionado en cuatro ocasiones y en dos de ellas ni siquiera ingresó. Luego, una vez en la titularidad, nunca la dejó ir. En las 22 veces que fue titular nunca lo sustituyeron. Finalmente cerró su participación con cinco asistencias y un gol, lo que puede considerarse un número bastante considerable para un lateral que ni siquiera fue titular durante casi la mitad de la temporada.

No obstante, otro punto de coincidencia entre los laterales fue la serie ante Manchester City por Champions League.

Pep Guardiola, el mejor estratega del fútbol actual, entendió que el punto débil de Liverpool era la banda donde jugaba el joven inglés. Salah no lo ayudaba demasiado en la faceta defensiva y Trent, hasta el momento, había mostrado más lucidez técnica que agresividad en la marca. Entonces le envió a Sané, otro futbolista joven y técnico, para crear un duelo individual que rompiera el partido. Fue la prueba más grande y difícil por la que tuvo que atravesar hasta el momento. Reconoce que lo puso a un nuevo nivel de exigencia.

Para Robertson, la serie era una posibilidad que se transformó en realidad. El segmento que va desde el inicio de la fase de grupos hasta este par de duelos no era tenido en cuenta. En cinco oportunidades no completó la plantilla, en dos fue al banquillo y solo en una fue titular; curiosamente en la goleada por cinco a cero ante Porto, en Portugal, por la ida de los octavos de final. A partir de cuartos de final jugó todos los partidos sin salir siquiera un minuto. Fue tan costoso llegar a este nivel de élite que evidentemente se aferró a él con esfuerzo, dedicación y juego. La siguiente temporada jugó el 94% de los minutos posibles. Tanto es así, que Alberto Moreno, aquel que era titular cuando Andy llega de Hull City, jugó solo un encuentro desde el inicio y coincidió con un equipo totalmente alternativo.

Luego de la final perdida en Kiev, Jürgen Klopp impulsó una mutación en el marcado estilo rupturista de su equipo. Los rivales comenzaron a reconocer los puntos fuertes del equipo que, con espacios, sabía salir impulsado como una saeta en llamas. Los repliegues se hacían cotidianos, había más espacios en los primeros cuarenta metros que en los últimos veinte y era necesario un plan.

El fichaje de Naby Laye Keïta, proveniente de RB Leipzig, fue una declaración de principios. Era el jugador que podría lograr una conexión más acertada entre defensores y delanteros, siendo siempre una posibilidad de apoyo. Así lo fue en un comienzo, pero conforme pasaron los encuentros sus actuaciones fueron fluctuando. No obstante, con o sin Keïta, el Liverpool de área a área le fue dando paso al de la posesión, incluso llegando a detentar promedios de 70% o más.

Caída la figura del nuevo fichaje, la trascendencia del juego pasó por los retrocesos de Roberto Firmino. Pero el gran factor diferencial fue la labor de los laterles. Entre Alexander Arnold y Robertson llegaron a las 23 asistencias, siendo los principales aliados del tridente. En un equipo que dominaba el balón, pero sus mediocampistas no tenían incorporado por vocación la llegada a zona de gol, ellos encontraron vía libre para atacar.

"Al igual que Ashley Cole cuando era niño, quiero cambiar la forma en que se piensa en los *full backs* junto con Robbo. Queremos mostrar que los *full backs* a menudo influyen en un juego mucho más que las posiciones que tradicionalmente se pensaban como las más prestigiosas. Es un papel valioso, como han dicho Klopp y Guardiola, y sin duda es uno de los más exigentes. Nos miden por igual cómo atacamos y cómo defendemos, más que cualquier otra posición", reflexiona Trent sobre el valor de su puesto y la ambición por trascender más allá de sí mismo.

Durante grandes tramos de temporada los encuentros se jugaban en zonas muy acotadas, siempre inclinadas al campo correspondiente del rival, sirvieron para dar amplitud al equipo y así estirar las líneas defensivas que le proponían. Eran atacantes, incluso llegando a posicionarse en zonas equivalentes a las de un interior.

Klopp tenía certezas acerca de esto. Tiempo atrás comentaba: "Por lo general debes involucrar a muchos jugadores en cosas ofensivas, no puedes ser ofensivo con solo dos jugadores en un contraataque cuando hay ocho del otro equipo en su propia mitad o área". Cuando un equipo pone demasiado énfasis en una función puede desatender otras, lo cual era una evidente preocupación para el entrenador alemán. La descompensación al crearse un error podía ser letal: "Si vamos por la mitad central, necesitamos saber cómo actúa en espacios grandes, pero en el otro lado, las mitades centrales pueden sentirse bastante solas en ciertos momentos si no reaccionamos de la manera correcta después de perder la pelota". Aquí se ponen en juego las características de los futbolistas. La condición atlética de ambos, sumado a la agresividad (enfocado especialmente en Robertson), fueron fundamentales a la hora de la recuperación tanto del balón como de la posición. El factor Virgil Van Dijk realiza una alquimia perfecta, pues el holandés es un gran anticipador, por lo que grandes cantidades de avances rivales son desactivados de forma breve, mientras que los laterales, así como el resto del equipo, deben recorrer tramos menores.

Durante importantes momentos de la temporada ambos llegaban de forma simultánea a la zona de ataque. No sorprendería presenciar envíos cruzados de uno hacia el otro. Sobre todo en Premier League. Por Champions League hubo formas más conservadoras, que es totalmente lógico: son torneos distintos, con diferentes reglas, lo que hace requerir tácticas diversas.

Tácticamente hablando...

Arnold presenta distintos matices al posicionarse en campo rival. Actualmente el fútbol atraviesa una simbiosis en la que se volvió cotidiano el recurso de incorporar a los marcadores de punta al ataque, siendo ellos habitualmente quienes puedan finalizar las jugadas a través de sus proyecciones. Liverpool no es la excepción a la regla, Klopp supo aprovechar sus virtudes al máximo. La magnitud de los laterales como piezas de ataque no depende exclusivamente de las cualidades que posea cada uno, sino que el contexto en el cual se encuentran sea recíproco. Para que esto ocurra se precisa de un equipo que mantenga la distancia de sus líneas (defensores, mediocampistas, delanteros) de manera reducida. Como consecuencia de este planteamiento el equipo podrá moverse como un bloque, facilitando así que los marcadores de punta puedan desenvolverse en alturas cercanas a la portería contraria, respaldados por los mediocampistas de contención que realizan sus respectivas vigilancias. De lo contrario, sería desmedido realizar esta acción sin tener en cuenta la distancia entre líneas, debido a que una pérdida de Alexander Arnold o Robertson desencadenaría transiciones nocivas para todo el equipo.

Trent posee alternativas para nutrir la ofensiva de Liverpool. Sus recepciones, llegando al tercio final del campo, son indispensables para su equipo. A través de ellas puede proporcionar amplitud manteniéndose cerca y en paralelo a la línea de banda. Los mediocentros son quienes más nutren las subidas de Arnold, para que luego sea él quien se encuentre en la búsqueda de asistir al tridente de ataque con sus centros precisos.

Después, una variante que presenta con menos frecuencia es la de finalizar las jugadas imponiendo sus desmarques de ruptura dentro del área rival. No se suele ver a menudo, ya que para que sea efectivo quien lo asiste debe calcular el tiempo exacto y así el lateral se permita recibir en condiciones óptimas aquel pase cruzado en diagonal. Utilizar este cambio de ritmo del canterano funciona para romper con la línea defensiva rival, causando un movimiento sorpresa a espalda del lateral rival que se encuentra expectante. Debido a eso, quien ejecuta ese pase para asistirlo habitualmente es el mediocampista de contención, que varía entre Henderson, Wijnaldum y Fabinho.

En cambio, desde el sector opuesto de la banda derecha, se encuentra Robertson, con su estilo es menos sofisticado y más práctico. El escocés suele ubicarse más adelantado que Trent Alexander Arnold cuando el equipo mantiene la posesión. Una vez que recibe el balón sus centros son ejecutados a la altura del área rival buscando el segundo palo del portero. Sus formidables controles permiten que pueda centrar sin tener que realizar más de un toque o dos, si es necesario.

Si bien ambos marcadores de punta poseen cualidades ofensivas exorbitantes, aunque siendo minuciosos, podríamos ubicar a Trent un escalón por encima de Robertson por ser más completo. El joven lateral inglés, formado en las categorías inferiores de Liverpool, utiliza de manera más precisa su técnica a la hora de romper líneas con pases filtrados o pases en largo. Sin importar en la altura del campo en la cual se encuentre, cuando no están dadas las condiciones para sus proyecciones hacia la línea de fondo intenta buscar siempre a su compañero más lejano que se encuentre dentro de sus probables opciones de pase en el momento. Estos pases verticales disponen de una verticalidad que facilita las progresiones en campo rival, debido a que reduce las probabilidades de no encontrar huecos en el repliegue y así evitar el pase hacia atrás. El contraste con el ex Hull City es que a la hora de realizar dicha labor no se destaca por completo debido a que sus pases se vuelven un tanto predecibles e imprecisos, sin dejar de lado que recurre fácilmente al pase en largo.

Cuando inician sus conducciones y no disponen de opciones de pase claros, buscan avanzar metros a través de los apoyos, especialmente con los mediocampistas internos, generando un 2 contra 1 y así atraer al rival, lo cual proporciona espacios para seguir progresando. Así se autoabastecen con escenarios ideales para aprovechar por completo sus cambios de ritmo letales, que permiten finalizar las jugadas. En caso de no poder avanzar correctamente, se adjudican el rol de apoyos para liberar a su compañero y que éste pueda continuar con el desarrollo de la jugada.

V. III El muro brasileño.

Loris Karius se retiró del Estadio Olímpico de Kiev con lágrimas en los ojos y pidiendo perdón a los hinchas de Liverpool que estaban en la tribuna. Dos calamidades suyas le costaron la derrota a su equipo ante Real Madrid en la final de la UEFA Champions League.

Karius no es un mal portero, o al menos no en comparación a lo que venía teniendo Liverpool. Simplemente tuvo la mala suerte de que sus errores fueron en el partido más importante de la temporada. Simon Mignolet, en un partido ante Girodins Bordeaux por UEFA Europa League en 2015, retuvo el balón en sus manos por 22 segundos, provocando un tiro libre indirecto que derivó en el gol de Henri Saivet. El partido acabó con victoria por 2-1 de los Reds y Jürgen Klopp hasta bromeó con esta situación en conferencia de prensa. A José Reina le hicieron un gol luego de un desvió en una pelota playera. Y Jerzy Dudek fue recordado por sus bailes en la tanda de penaltis ante Milan.

Klopp sabía que para ser un equipo contendiente a un campeón, necesitaba tener seguridad en el fondo. El equipo de la temporada 2017/2018 dejó la sensación de que todo lo bueno que generaba el tridente de ataque, lo destruían los centrales y el portero. Los partidos eran entretenidos, como el 3-3 ante Arsenal en Emirates Stadium, pero tenía que ser más previsible. La llegada de Virgil Van Dijk fue el primer paso para dejar atrás esa vulnerabilidad. Solo faltaba el último ladrillo en la pared.

Alisson Becker estuvo una temporada siendo suplente de Wojciech Szczęsny sin jugar un minuto por Serie A con Roma. Tras la salida del polaco a Juventus en 2017 se quedó con el puesto de titular, logrando ser la segunda valla menos vencida, con 28 goles, y llegar a semifinales de Champions League.

Al igual que Liverpool, la selección brasileña nunca se destacó por tener porteros de élite. El error de Moacir Barbosa, que le costó el oprobio popular en el Maracanazo, Waldir Peres era el punto más flojo del Brasil de Tele Santana, Dida es más recordado por simular una agresión de un hincha de Celtic que por sus atajadas, mientras que Taffarel y Marcos son campeones, cierto, pero no fueron muy influyentes en la obtención de sendos títulos. Julio César fue el único que demostró cualidades técnicas y brindó esa sensación de ser invencible en el Inter de Mourinho, que obtuvo el triplete en 2010. De los porteros brasileños fue el único que llegó a ser el mejor del mundo en su puesto, pero su carrera se vio marcada por el 7-1 de Alemania en el mundial 2014.

Klopp dejó en claro que la llegada de Alisson no estaba relacionada con los errores de Karius, sino con aprovechar el momento en que se presentó la posibilidad conseguir a un jugador de ese nivel. Fue una decisión tomada mucho antes de los goles de Gareth Bale, pensando en suplir una de las carencias evidenciadas a lo largo de varias temporadas.

Alisson fue titular desde el primer día. No hubo discusión y más con la salida de Karius a Besiktas. Su presencia y su buen nivel fueron el complemento necesario a Van Dijk, para que Liverpool encontrará un orden defensivo. Lejos quedó esa idea de Johan Cruyff de partidos que terminaban 5-4, sino que Liverpool ahora dominaba los mismos con la tranquilidad de que su fortaleza defensiva era inexpugnable. Liverpool fue el equipo que menos goles recibió en Premier League (22).

Uno de los aspectos fundamentales es la ductilidad de Alisson para jugar con los pies. Klopp quería un Liverpool con más control de balón, dominar lapsos del partido a través de la posesión y para eso necesitaba un portero con condiciones de construir desde el fondo. "Podría ser demasiado arriesgado, pero es parte del juego, somos un equipo que juega desde atrás con el balón en el suelo y eso es parte de las características del equipo. Pueden ocurrir errores, pero trabajamos duro durante la semana para hacer todo correctamente durante los partidos", explicó el portero sobre su rol. El primer gol que recibió fue en el triunfo 2-1 ante Leicester City, cuando demoró en pasar la pelota ante la presión de Kalechi Iheanacho, quien terminó robando y asistiendo a Rachid Ghezzal. Tras el partido, y con los fantasmas de los errores de Karius sobrevolando nuevamente, Klopp desdramatizó la situación al declarar: "Tenemos que acostumbrarnos. Constantemente llevamos el balón al portero, pero el jugador necesita aprender que hay otras soluciones. Joe (Gómez) pudo haber rechazado, Alisson también podría haberlo hecho. Así es como es. Es un portero fantástico, hace algunas salvadas fantásticas. No hizo lo que se suponía que debía hacer, pero todo está bien".

El pase de Alisson costó 72.5 millones de euros. Klopp, luego del triunfo de Liverpool ante Nápoli en Anfield Road, declaró que si hubiese sabido que era tan bueno pagaba el doble. El portero esa noche tuvo una atajada, donde demostró reflejos rápidos y buen posicionamiento ante Arkadiusz Milik, evitando el empate del conjunto italiano y sellando la clasificación a octavos de final. En Madrid, frente a Tottenham, sus atajadas fueron las que mantuvieron el triunfo de los *Reds* en los momentos donde el equipo de Mauricio Pochettino, sobre el final, generó más peligro.

Liverpool pasó de las lágrimas de Karius a la sonrisa de Alisson en un año. La sexta Champions League estaba en buenas manos.

V. IV *The working class hero*: James Milner y Jordan Henderson.

No había espacio en Manchester City para James Milner. En la temporada 2014/2015 tuvo poca acción, los minutos escaseaban y evidentemente iban a dejar pasar una extensión de contrato. Desencajaba en la lógica que estaban pergeñando los jeques, buscando perfiles de futbolistas jóvenes, regateadores y atrayentes para el marketing. El fútbol moderno, lugar donde se suele resaltar lo frívolo y esconder lo importante, había marginado a un gran jugador. Tal vez, como reflexionó el cineasta Fernando Trueba, estamos en un mundo donde hay la obsesión por la juventud; incluso los viejos quieren ser jóvenes. Todo es para los jóvenes: el suplemento de los jóvenes, la moda de los jóvenes, películas para jóvenes. Me parece que hay un culto desmesurado a la juventud. Es una época de la vida como otra cualquiera. Deberíamos tener más culto a nuestros viejos, porque son los que te trasmiten cosas, de los que puedes aprender, son la experiencia en el buen sentido de la palabra.

La llegada como agente libre a Liverpool, el 4 de junio de 2015, fue silenciosa. Tal vez descreídos por su salida de los *Citizens*, los aficionados no interpretaron qué gran negocio había hecho su institución. Fue Brendan Rodgers quien tuvo la mejor lectura, a sabiendas de su valía, e inmediatamente lo nombró subcapitán por detrás de Jordan Henderson. Este era un equipo huérfano de líderes ante la salida del mítico Steven Gerrard.

Con la llegada de Jürgen Klopp tomó cada vez más relevancia tanto dentro como fuera del campo. El entrenador lo consideró como "uno de los cinco mejores jugadores con los que he trabajado. Junto a Jordan es uno de los líderes". Polivalente, laborioso, compañero, serio y humilde, rindió en los distintos puestos: "es el profesional perfecto". El lugar en donde más hace notar su presencia es el vestuario, líder innato de un grupo que lo valora, como remarcó Klopp: "Las charlas previas a cada partido de James fueron vitales, porque yo no hablo inglés con la fluidez de un nacido en Inglaterra. Sin Milner no lo hubiéramos logrado".

Milner ha jugado de mediocentro, interior, lateral derecho, lateral izquierdo, ejecuta penaltis, córners, tiros libres, todo lo que el equipo necesite. Para Klopp es fundamental contar con jugadores así, como lo hizo en Borussia Dortmund con Kevin Großkreutz, quien sin poseer un enorme talento técnico, desempeñaba distintas funciones requeridas, inclusive portero, ya que en 2013, en un duelo ante Hoffenheim, Romain Weidenfeller fue expulsado, con lo cual Kevin tomó su puesto en el minuto 80, aunque no pudo evitar el gol de penal de Sejad Salihovic. Sin embargo, era su manera sentir y vivir el fútbol: "en donde me ponga el entrenador, daré todo".

Großkreutz es oriundo de la ciudad de Dortmund y realizó las inferiores en el Borussia. De niño solía ver los partidos en la *SudTribune,* donde era una pieza más en el "muro amarillo". Bajo el mando de Klopp se volvió uno de los jugadores más queridos del plantel, era la representación de los hinchas dentro del campo de juego. Como lo definió Klopp: "Es nuestra línea directa con nuestros fans. Él siempre sabe lo que les conmueve y nos mantiene informados a todos en el club".

"Para conducir a un pueblo la primera condición es que uno haya salido del pueblo, que sienta y piense como el pueblo", expresó Juan Domingo Perón, expresidente de Argentina, fundador de uno de los movimientos populares argentinos más importante. Por eso, al igual que Milner y Großkreutz, Klopp cuenta con un líder como Henderson, que tuvo la compleja responsabilidad de reemplazar simbólicamente a Gerrard. Para Klopp era el trabajo más difícil en los últimos 500 años del fútbol, porque en la mente de la gente resonaba: "Si no es Stevie, no es lo suficientemente bueno".

Cuando Liverpool se adaptó a un estilo más cercano a la posesión, Henderson fue perdiendo terreno ante Naby Keïta y Fabinho, aunque hacia el final de la temporada 2018/2019 fue mutando su rol como mediocampista *box to box* a un mediocentro más posicional. Luego del triunfo en St. Mary's Stadium ante Southampton por 3-1, donde ingresó como recambio, marcó un gol y una asistencia. El entrenador explicó: "Cuando llegué era un jugador *box to box*. Le hicimos un número seis (como se denomina en Inglaterra al mediocampista central) y creo que le ayudó mucho jugar en diferentes posiciones".

Henderson pudo haber ido perdiendo relevancia dentro del campo de juego, pero su rol en el vestuario permaneció fuerte. Aunque inconforme por la merma de minutos jugados, logró contener hasta los impulsos de su propio ego y nunca perder de vista el bien grupal. Quería ganar, demostrar que todas las críticas eran infundadas, que quienes tantas veces lo cuestionaron por no ser Gerrard estaban equivocados. Sabía que para lograr esa ansiada revancha había que mantener la cabeza erguida, aguantar los golpes y seguir. Como dijo Marcelo Bielsa, mientras era entrenador del Olympique de Marsella: "Traguen veneno, acepten la injusticia que todo se equilibra al final". Y así fue para Hendo, quien levantó la Champions League en Madrid, al igual que Gerrard en Estambul, pudiendo obtener su recompensa tras tantos años de esfuerzos y frustraciones en ese abrazo en el que se fundió con su padre. Klopp lo tuvo siempre claro: "Jordan encarna perfectamente lo que significa ser un jugador del Liverpool en el fútbol moderno".

Seguramente Pep Lijnders fue quien mejor resumió la confraternidad roja y la específica función de los capitanes cuando expresó que Liverpool se trata de tres cosas, "La santísima trinidad": los fanáticos, el entrenador y el equipo. Tienen que entenderse y tener una idea. Si tienes a Jordan (Henderson) y a James (Milner) como capitanes no tienes que disciplinar a otros.

Durante los festejos por la obtención de la Champions League, Milner pidió detener el autobús que confortaba al plantel para golpear la puerta de Andrew Devine, sobreviviente de la tragedia de Hillsborough en 1976 e imposibilitado de caminar desde aquel día. Milly, como lo apodan sus compañeros, le cedió el trofeo en un acto magnánimo. Bajó del Olimpo artificial creado para los futbolistas, porque a él no le sienta bien. Fue directamente a la afición, con los suyos: "Un gesto muy amable y fue el día de Andrew", declaró la madre de Devine. El título, ahora sí, era de todos. Estos gestos no son aislados, sino que componen la idiosincrasia del plantel y el entrenador predica con el ejemplo. Como aquella pretemporada en Estados Unidos donde decidió frenar el entrenamiento para que los protagonistas se tomen una foto grupal con los aficionados que se habían acercado a las gradas. Como está grabado en la estatua de Bill Shankly, *He made people happy* (Él hizo feliz a la gente).

Capítulo VI

EL TRIDENTE

"Poder contar con el actor adecuado para cada papel es fundamental. En ese sentido, no solo me refiero a trabajar con intérpretes consagrados, sino también a los casos en los que alguien no tan conocido te sorprende en un papel y es capaz de aportar algo especial que igual nadie esperaba."

Clint Eastwood

Las temporadas de Klopp en Liverpool tienen la característica de ser evolutivas en cuanto al juego. Cada año se afinaron los métodos entrenados, a la vez que fueron mutando armónicamente con la consecución de buenos resultados. Una de las características elementales para poder realizar cambios y que sean adoptados positivamente tiene que ver con la importancia dada al *feedback* creado entre los jugadores.

El juego empieza y termina en ellos, por lo tanto, se deben sentir cómodos con en estilo a desarrollar, para que se logren establecer las macro y micro sociedades inherentes a cualquier acción de equipo. En el fútbol actual, donde el futbolista es percibido por la masa como un autómata que responde sin libre albedrío a cada indicación y estímulo, las cuestiones socio-afectivas entre los protagonistas quedan en la sombra.

Pero en la parte roja de Merseyside está Klopp. La esencia de su estilo tiene como principio fundamental al espíritu de equipo. Con este factor prevaleciendo, explica, los futbolistas logran sentirse a gusto con la dinámica de delegar responsabilidades en un plantel. Se crean conexiones y vínculos humanos, lo que ayuda a mejorar los niveles. La labor de dirigir un equipo no se caracteriza solo por la manera de abordar relaciones intra-grupales, pero la empatía facilita la elaboración de un entorno ideal, donde el jugador tenga los estímulos necesario para ejecutar las técnicas y conceptos con convicción y así defender esa intención de juego dentro del campo.

Competir sostenidamente en la élite europea es difícil. Visitar Camp Nou, Allianz Arena, Ethiad Stadium, entre otros, para apoyarse simplemente en individualidades: es un camino sinuoso. En este punto la influencia de Arrigo Sacchi es importante. "Nunca he conocido a Sacchi, pero he aprendido todo lo que soy como entrenador de él y mi exentrenador que se influenció en él", comentó Klopp. "Sabíamos que sí podía hacer lo que hizo con Paolo Maldini, Franco Baresi, Demetrio Albertini y todas estas personas, entonces podríamos hacer lo mismo. (…) Está bien, no somos tan buenos, pero la disciplina táctica no es un problema. Si pueden hacerlo, podemos hacerlo", decía cuando era entrenador de Mainz.

Como todo entrenador que llega a una nueva institución, tuvo que gestionar la plantilla de otro. Con la base imaginada por Brendan Rodgers y con la temporada entrada en mediados de octubre, no fue complejo para Klopp conjugar sus ideales a los eventuales protagonistas que, hasta el momento, no lograban destacarse. Luego de encontrar un funcionamiento acorde a sus pretensiones fue acrecentándose su injerencia en el once inicial. Aquí hay un quiebre interesante. El primer gran rasgo del nuevo Liverpool fue la verticalidad ofensiva del equipo. La zona media del campo se transformó en un sector pasivo, que no tenía densidad de juego. Especialmente en las recuperaciones. No obstante, a pesar de ser una herramienta determinante y la piedra angular del estilo impulsado, no se usufructuaba por completo. Por ejemplo, maximizar cada parcela del campo es importante para un ataque más efectivo. Cuanto más espacios se utilicen, más posibilidades de conexión tendrán los jugadores. En este punto, Liverpool no utilizaba por completo la anchura del campo. Un motivo fundamental son las características de sus protagonistas.

Una táctica no puede escapar de las condiciones de los futbolistas, este equipo solo contaba con Coutinho como extremo natural y, por momentos, se situaba sobre los carriles exteriores Lallana. Entonces, hubo una buena lectura en la política de refuerzos, incorporando lo necesario para fortificar las ideas del entrenador.

El 27 de junio de 2016, proveniente de Southampton por una cifra cercana a 40 millones de euros, Sadio Mané llega a llenar un vacío en el ataque. El senegalés se había marcado una temporada de ensueño, con una cifra de 15 goles y 6 asistencias, entre ellas un doblete a su nuevo club y un *hat-trick* a Manchester City. Unos meses antes, en mayo de 2015, marcó el triplete más rápido de la historia de la Premier League, en dos minutos con 56 segundos ante Aston Villa.

Para la temporada 2016-2017, Jürgen Klopp contaba con un poderío ofensivo cada vez más cercano al necesario. La inclinación táctica que trazaba era tendiente al 1-4-3-3, que luego se volvería cada vez más ortodoxo. En el extremo izquierdo se posicionaba Coutinho, mientras que Firmino era la referencia del área y Mané el extremo derecho. Este trío intervino en un 73% de las situaciones ofensivas del equipo, entre goles y asistencias. Ellos anotaron 39 de los 92 goles convertidos.

Los cambios dieron sus frutos y la temporada cerró con un cuarto puesto en Premier League, con el cual se clasificaba al repechaje de Champions. Luego de dos años de no participar, estaban ante la gran oportunidad de subir un nuevo escalón de jerarquía.

Así se iniciaba una nueva etapa con desafíos más grandes y un nuevo rostro llegó a Anfield: Mohamed Salah. Proveniente de AS Roma, donde su desempeño fue destacable, proclamándose como el máximo asistidor de la temporada 2016-2017 de la Serie A, con 15 pases. Esta incorporación provocó una disyuntiva, teniendo Klopp que reestructurar el armado inicial para ubicar a los cuatro atacantes. Decidió colocar a Salah como extremo derecho, mientras que Coutinho fue llevado al sector izquierdo, retrasándolo unos metros del área rival como mediocampista interior y, por momentos, como extremo izquierdo reemplazando brevemente a Mané cuando este sufrió una lesión en los isquiotibiales, que lo dejó inactivo por un mes, perdiendo alrededor de cinco encuentros.

El cambio de posición no benefició a Coutinho, puesto que verse retrasado como interior izquierdo, lo tornó predecible a la hora de abastecer al tridente. La carencia de mediocampistas creativos que tenía la plantilla de Liverpool erigía naturalmente al brasileño como el pasador en los últimos metros, aunque sus momentos cumbres hayan sido cuando se estacionaba en la banda izquierda, para las recepciones a pierna cambiada que le otorgan recortar hacia adentro, plasmando su sello distintivo con la técnica que tantos goles le aportó a Liverpool. Aquel prodigioso cambio de ritmo quedó registrado en la retina de todos por actuaciones reiteradas durante los clásicos de Merseyside.

Cada posición tiene sus pequeños trucos, así como cada jugador sus detalles que lo ayudan a mejorar el rendimiento dependiendo de la parte del campo donde le toque contribuir. Hay muchos delanteros, con diferentes estilos y maneras de interpretar el puesto. En este caso, Coutinho basaba su juego ofensivo en dos recursos. A través de sus conducciones atraía rivales para luego pasar el balón en el momento que consideraba adecuado, lo que se debía entrelazar con los desplazamientos que le indicaba, principalmente, Mané mediante aspectos corporales. Lo segundo fueron los lanzamientos frontales que realizaba colocado a metros del círculo central. De esta manera, los extremos debían desmarcarse trazando diagonales y atacando las espaldas de los defensores centrales, ayudado por la función de Firmino como "falso 9". El retroceso de Bobby genera espacios, porque atrae a su marcador.

Pequeños movimientos, conexiones, búsquedas. Son destellos que hablan, el trío aún no decía, pero insinuaba. Estaban cerca de comenzar a hablar todos el mismo idioma. La química estaba y eso era lo importante, se percibía que su juego rimaba. Y el 6 de enero del 2018, Coutinho fichó por F.C. Barcelona, lo que parecía dejar a Liverpool con muchas incógnitas. Cuando se fue el talismán, aquel que podía desarmar un enjambre defensivo con una finta vertical o un remate desde larga distancia, el mediocampo se tuvo que reconstruir. Como primera medida, Klopp optó por colocar a Lallana en la función de mediapunta, pero no prosperó porque anulaba el juego de espaldas y los importantes retrocesos de Firmino. Entonces volvió al tradicional parado táctico de tres mediocampistas, un mediocentro y dos interiores, los cuales fueron variando entre los nombres de Wijnaldum, Milner y Chamberlain.

En ocasiones, un cambio rotundo e inesperado que comienza viéndose mal, termina por ser la puerta de entrada de buenas soluciones que mejoran la dinámica de trabajo. Así pasó con la salida de Coutinho, puesto que los extremos Mané y Salah fueron los más beneficiados. Ya no debían mantenerse petrificados en una posición, sino que poseían mayores libertades y un mejor despliegue por todo el campo de ataque. Las transiciones de Liverpool eran un placer visual, porque eran excelentes y de la excelencia nace la belleza. Por más que los espacios se vieran ínfimos, la contundencia de la cabalgata roja los dinamitaba. Empero, la motivación ofensiva no estaba reducida a conducciones veloces con campo abierto.

Sadio Mané, protagonista y responsable del rendimiento preciso, describe con fidelidad el estilo de este equipo: "Para Klopp es tan importante lo que haces con la pelota como sin ella. Pero no somos un equipo inclinado al contragolpe como se ha dicho. Queremos manejar el balón todo lo posible, porque cuando lo tienes estás en una situación más segura.

Para eso procuramos correr a los espacios, para que el compañero que tiene el balón no tenga dificultades en el pase. Sin contar con el orden defensivo, que exige que corras hacia atrás o que presiones en bloque". Si bien la base del fútbol, y de cualquier táctica desempeñada, tiene que ver con la espontaneidad propia del ser humano que la practica, de su aquí y ahora, también se pueden distinguir ciertos comportamientos en relación a la consecución de horas y horas de juego. Un ojo poco entrenado, a primera vista, podría considerar que los contraataques tienen poco que ver con un trabajo mecanizado.

No obstante, Liverpool es uno de los equipos que busca perfeccionar la herramienta. Puntualmente, durante la temporada 2017-2018, etapa donde se consolidó completamente el tridente, Liverpool convirtió 135 goles entre competencias domésticas e internacionales. Durante la Champions League establecieron un nuevo récord goleador, desde los playoffs, ante el humilde y sorpresivo Hoffenheim, hasta el último día en Kiev, cayendo contra el oneroso y predecible Real Madrid. Anotaron en 47 oportunidades, superando los 45 del Barcelona de Louis Van Gaal a fines del milenio pasado. El tridente convirtió 91 goles, un 67% de las cifras finales.

Hablar de récords en 2018 es hablar de Salah, que tuvo el pico más alto de su carrera en el primer año jugando en Anfield. Ganó la Bota de Oro en Inglaterra marcando 32 goles en Premier League (44 en total), superando la marca de 31 que habían alcanzado leyendas como Alan Shearer y Cristiano Ronaldo. Además, se convirtió en el jugador con más anotaciones en una temporada de Premier League desde que entró en vigencia el nuevo formato de veinte equipos. Lo extraordinario de los números del egipcio es que, aun así, no opacó a sus compañeros, porque juntos se potenciaron. En el plano internacional, el tridente superó a sus pares del Real Madrid modelo 2013-2014, que habían logrado el techo de 28 goles: Benzema (5), Bale (6) y Cristiano Ronaldo (17). La diferencia fue de cuatro, puesto que tanto Salah como Firmino marcaron 11 y Mané llegó a 10.

Lo bueno de este trío es que no hay actores de reparto. Cada quien tiene su parlamento importante dentro de la trama del ataque. Así como Salah ha sabido superar porteros, las intervenciones de Firmino aportaban la jerarquía necesaria que requería cada jugada. Firmino es muy veloz, una luz. Y no por correr maratones, sino por la pausa. Eso que aporta el cambio de ritmo necesario en una jugada. Determinantes para los contraataques, modificar la trayectoria del ataque, engañando a los defensas rivales con su cuerpo, un recurso que solía aprovecharlo para incorporar más jugadores en campo contrario y generar superioridad numérica que faciliten los avances hacia el área rival. A continuación, un compacto de su desempeño cumpliendo este rol en la temporada 2017-2018.

Antes de que Neymar rompiera el mercado al irse a PSG, superar la barrera de los 40 millones era todo un privilegio. Firmino llegó a Liverpool bajo la dirección de Brendan Rodgers, a cambio de 41 millones de euros, y durante todo su mandato no anotó. Dos problemas que suelen tener los delanteros que aportan al equipo de manera inteligente y positiva pero no terminan de completar la faceta del gol, tienen que ver con las críticas. Firmino no fue la excepción, aficionados y prensa lo cuestionaron. Respecto a su nuevo rol en el equipo, el exfutbolista del Hoffenheim explicaba que anteriormente no jugaba de delantero pero que, aun así, ha logrado adaptarse en ese puesto y que cada vez se convencía más, al punto de querer jugar allí hasta el día de su retiro. Aunque no deja de lado el sacrificio que conlleva, puesto que nunca está satisfecho por sus rendimientos y quiere hacerlo mejor: "me gusta retroceder y ayudar a defender, porque eso se convierte en ataque, en goles, así que no me importa que me llamen el motor del equipo", afirmaba el brasileño, sosteniendo este proceso como la causa principal para motivarse y seguir mejorando. "Siempre quiero trabajar duro y preparar lo mejor para cada juego. Y cada gol que llega es una consecuencia de la preparación que le ponemos", concluía el artillero del seleccionado *verdeamarelho*.

A inicios del año 2016, Ronaldinho salió a la vanguardia de su compatriota frente a las críticas malintencionadas en relación con su falta de gol. "Es uno de los mejores en lo que hace en el mundo. Está en la misma clase que Özil, Silva, Iniesta y todos los otros grandes jugadores que juegan ese papel. Es el jugador con el que estoy seguro de que Klopp construirá su nuevo equipo de Liverpool. Él es uno de los mejores entrenadores, sabrá que Firmino necesitará mejores jugadores a su alrededor para aprovechar al máximo su juego".

Entonces llegó Klopp a proponer un juego que lo beneficiaba y un año después decía: "Jugué contra sus equipos durante cuatro años y medio. Entiendo lo que quiere de un jugador. Cuando me enteré que iba a ser entrenador del Liverpool, me sentí muy satisfecho. No podría haber sido más feliz. Sabía lo que iba a traer aquí. Trajo un estilo de trabajo y juego de Alemania, de los cuales el equipo se ha adaptado. Nuestra amistad es muy clara. No hay nada detrás de esto. Él es una gran persona. Si haces lo que él te pide que hagas, nunca lo decepcionarás. ¿Puede hacerme el Neymar de Liverpool? Todo depende de mí".

Donde hay grandes hombres, hay grandes recompensas escribió en 1400 Stu Stzu en *El Arte de la Guerra*. No hay relación perdurable que se forje sin tormentas. Ser entrenador es tener convicciones y la verdad como principios. Así fue Klopp con Firmino: "Con Roberto Firmino la gente dice que no anota lo suficiente... ¡¿Qué?! Es el mejor jugador sin anotar, lo bien que lee el juego en beneficio de los demás. ¡Excepcional! Pero entonces, ¿qué pasa si empieza a pensar 'oh, necesito más goles' y comienza a disparar desde todas partes cuando, por lo general, jugaba una pelota inteligente y corría para abrir el espacio? Debe haber un plan, una voz, una creencia. No siempre será perfecto, porque no somos perfectos, pero es nuestro camino. Los jugadores toman las decisiones correctas cuando tienen confianza, cuando no la tienen y luego sienten que el próximo paso debe ser el gol o ahora estamos bajo presión y necesitamos forzarlo'. ¡No! Se apega a lo que está haciendo, intente, intente e intente nuevamente. Cada oportunidad perdida no es un fracaso, es información, úsala y vuélvete a correr. Esto es muy importante. Lo que necesitamos crear es que comprendan completamente que la única crítica que deben tomar es la mía, no porque yo sea el único que sepa algo, sino porque soy a quien tienen que prestar atención".

Ante el cuidado guardián de su entrenador, a Bobby solo le quedaba jugar. Fue variando de posición dentro del tercio final: ocupó ambos carriles externos, intentó de mediapunta, incluso probó de centrodelantero limitando sus mejores capacidades. El delantero con falta de gol encontró su lugar más lógico, lejos del área. Esto no fue un arreglo para limitarle la cantidad de tiros por juego, sino de saber dónde participaba más y mejor. Así, tanto sus registros goleadores y su participación en los goles del resto del equipo se mantienen en alza hasta la actualidad. Finalizada la primera temporada concluía con 12 tantos y 11 asistencias. Luego, en 2016-2017, su marca sería similar con 11 tantos y 11 asistencias. Más tarde, en 2017-2018, debido a su entendimiento con Mané y Salah, alcanzaría los 27 tantos y 17 asistencias, colocándose como el segundo anotador del equipo. Una peculiaridad de Firmino tiene que ver con entender qué necesitaba el equipo y hacerlo. El Liverpool de Klopp siempre careció de mediocampistas creativos, aquellos que saben dar una asistencia en el momento exacto, que gustan llegar a zona de impacto para anotar, o bien que pueden juntarse para tener el balón y sufrir menos desgaste. Allí estaba el hueco y allí fue Bobby. Siendo delantero participó como mediocampista. Su buena técnica brinda apoyo a sus compañeros jugando con la portería rival a sus espaldas o para dar el pase en profundidad que Mané o Salah necesitan. La esencia lo es todo y el brasileño se crió pateando un balón en la cálida arena de las playas de Brasil. "Jugar allí influye en la forma en que ves el juego. Cuando estás en la playa no hay presión, así que nos divertimos más. Estamos jugando para divertirnos", pero a su vez fue contratado por Hoffenheim gracias a un videojuego, una mezcla curiosa que forjó un jugador inteligente y habilidoso. Allí percibió que la cultura alemana está ligada a la necesidad de darlo todo físicamente, contrariamente a la de su país natal, cuyos pilares son la creatividad y las habilidades innatas. Ante esto, dice: "creo que si combinas estos dos conjuntos de características, obtendrás un jugador sobresaliente. Ahí es donde quiero llegar. Ese soy yo".

Retomando el análisis global en las transiciones defensa-ataque que tanto nutrió al equipo durante la temporada 2017-2018, se evidencia que luego de recuperar la posesión del balón, a causa de una presión incesante al poseedor del esférico, optaba por resolver la descarga del pase hacia las bandas para buscar a los extremos, encargados de aprovechar los espacios que propiciaba un equipo rival al descubierto por no poder reacomodarse para defender mejor. A menudo, el más buscado era Mohamed Salah en el sector derecho, aquel pase al espacio en profundidad era letal para el avance en los contragolpes y luego así se decidía por recurrir al duelo individual y la finalización de la jugada o cambiar la trayectoria de esta misma. Y es así que los contraataques se desenvolvían con demasiada velocidad y eficacia, bastándole habitualmente menos de cinco pases para llegar a la portería contraria.

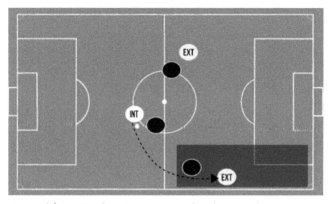

*Ejemplificación de cómo aprovechar los carriles externos
en una transición defensa-ataque.*

Otro recurso que presentan los ataques verticales de Liverpool, tiene que ver con los movimientos conjuntos que realiza el tridente. Mientras uno conduce el balón y visualiza el campo periféricamente, otro atacante se dispone a lanzar diagonales al espacio, pero sin la intención de ser el receptor del pase. Lo que busca en realidad es el engaño: de este modo se lleva la marca de los defensas centrales para que retrocedan. Todo tiene que ver con la creación de espacios, para que un compañero pueda recibir con más tiempo y mejor posición. Puesto que con el equipo rival no compacto se facilita la descarga hacia el jugador libre.

Cuando Liverpool no corría debía tener la posesión del balón. Al no incorporarlo como un fundamento principal, se solía buscar el desmarque de ruptura que proporcionaban Mané y Salah. Si el mediocampista, habitualmente el mediocentro, tenía tiempo y espacio para ejecutar un lanzamiento debido al repliegue, resolvía con un pase vertical, al ras o en largo, salteando la línea de mediocampistas rivales. Guarda cierta similitud con el rol de Coutinho, con la diferencia entre la calidad de pase del brasileño y la que podía tener Henderson o Emre Can, quienes a pesar de sus intentos por ser resolutivos con dos toques, podían ser lentos y los marcadores intuían fácilmente el destino del balón.

En la naturaleza un recurso debe ser cuidado, hay que dosificarlo o se agota. En el fútbol es igual. Para evitar que la táctica sea perceptible ante el ojo rival, no se debe repetir con frecuencia. Así entra Firmino nuevamente a la trascendencia del Liverpool. Al ser la principal referencia de ataque, y por más alejado que se mantenga del área, los defensores centrales siempre se mantendrán cerca de él, porque no pueden descuidarlo. Sus buenos retrocesos beneficiaron al equipo y, aunque no tocara el balón, estaba siendo parte de la jugada. Un simple retroceso y un gesto corporal de "Hey, voy a ser yo quien reciba", engaña a centrales y mediocentros rivales para seguir generando espacios que terminarán en las diagonales de los extremos. Con un pase exitoso, Mané o Salah tendrían una situación de mano a mano a su merced. Esta concatenación de acciones no sería eficiente sin los excelentes desmarques del senegalés. Como él mismo lo describe: "Lo llevo dentro. No me lo enseñaron. A mí me encanta que me den el balón al espacio. Es como más problemas provocas en los defensas. Si puedo elegir entre esperar a recibir o tirar un desmarque, lo tiro". Aunque no se detiene simplemente en ese recurso, sino que se centra más en colaborar siempre con el equipo. "Jugar bien es ayudar a tus compañeros. Si no contribuyes a que el equipo crezca, no estás jugando bien, por más que conviertas goles. Somos tres atacantes complementarios. Firmino aguanta el balón de espaldas y genera espacios para los que llegamos desde atrás. Salah es un oportunista, el hombre del último toque". La influencia de Mané en los últimos metros es fundamental para que, posteriormente, se destaque todo el proceso previo de las diferentes jugadas donde él intervenga.

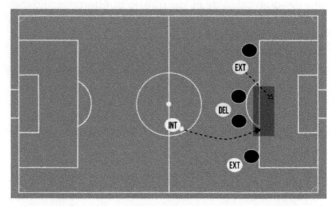

Ejemplificación de la importancia que adquiere Firmino (DEL) a la hora de realizar movimientos corporales.

Si disponen de la posesión del balón, también puede buscar generar amplitud con sus extremos para estirar a la defensa rival y que el lateral contrario salga a disputar el duelo individual de aquella zona. Al generar este movimiento, el espacio a sus espaldas es aprovechado por el marcador de punta que detecta el momento ideal para su proyección y rompe por dentro, logrando llegar al área sin marcas y siendo un factor sorpresa. Cabe resaltar, que el resto de la línea defensiva del contrincante debe mantenerse ocupado con los mediocampistas y delanteros restantes, que son quienes deben fijarse a ellos. De lo contrario, podrían cerrar ese espacio libre realizando una buena cobertura y basculando hacia ese sector.

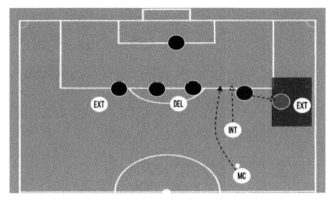

Ejemplificación A sobre las diversas formas de generar espacios a través de la amplitud de los extremos.

Poder utilizar todo el ancho del campo permite que, a través de la amplitud, se detecten opciones de pase en mejores condiciones. Es decir, si el extremo se coloca sobre la banda y no pasa ningún jugador por dentro, este espacio aún puede ser aprovechado para filtrar un pase con dirección al "falso 9", que está en constante movimiento, para que reciba libre de marcas o con más tiempo para resolver la siguiente acción.

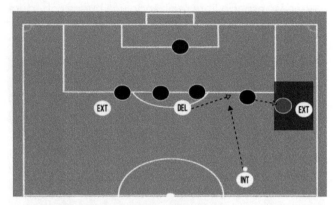

Ejemplificación B sobre las diversas formas de generar espacios a través de la amplitud de los extremos.

Los extremos suelen ser los que delimitan el ancho del campo. No deben necesariamente estar cerca de la zona activa de balón ni entrar en contacto con él, sino que, manteniéndose en la banda, pueden fijar a su marca. Significa que un compañero podrá tener más espacios en el tercio final. Y cuando lo tiene un jugador inteligente para explotar cada situación de estas como lo es Mané, el resultado suele ser brillante. Es el propio Klopp que lo define como capaz de generar anchura y espacios cuando estos escasean por el repliegue intenso del rival. Algo que fue un problema durante la última temporada. Cuando hay una conducción cercana a la portería contraria, con buenas probabilidades para descargar el pase, Mané interpreta bien la jugada e identifica los posibles espacios, tendiéndo a cerrarse y así trazar una diagonal que arrastra su marca. De esta forma, deja el carril libre para la proyección del lateral, que puede centrar sin ningún tipo de oposición. "Puede tener una carrera realmente buena, incluso mejor de lo que es ahora. Todos sabemos que Sadio es un jugador de clase mundial, y ha comenzado a darse cuenta de eso por sí solo", reflexiona Klopp sobre su atacante.

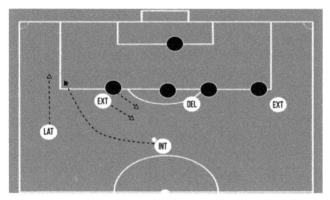

Ejemplificación del rol que ocupa el extremo a la hora de hacer ancho o angosto el campo de juego.

La temporada 2018-2019 fue, en cuanto a emociones, desbordante incluso para un equipo de Klopp. Durante el tramo final del 2018 tuvo que rearmar en distintas oportunidades la composición de su once de gala, debido a las frecuentes lesiones que se presentaron en diferentes posiciones. Esto llevó a un gran acierto como la inclusión sostenida de Shaqiri. Al contar con él, Liverpool encontraba una variante para modificar el tridente, siendo un cambio más ofensivo para el nivel colectivo del equipo. Colocado en el sector derecho del mediocampo, generó que se modifique el parado inicial, de 1-4-3-3 a 1-4-2-3-1, con Firmino como principal referencia de área, intercambiando su puesto con Salah. Aunque éste no sentía para nada la posición y se lo dejó claro a Jamie Carragher: "Depende del juego y de las tácticas que el entrenador quiera. Puedo jugar como número nueve, pero cuando juego como extremo hago mi trabajo. No me gusta mucho, pero no me importa demasiado. Al final del día, somos los primeros y estoy tratando de ayudar al equipo a ganar partidos. Y sigo siendo el máximo goleador de la Premier League". La principal cualidad que presentó Shaqiri, desempeñándose en este esquema, fue propiciar la llegada sorpresiva de Mané, quien se encuentra habitualmente desde el lado opuesto a la jugada, si es que el suizo dispone del balón por la banda derecha. A través de recortes hacia adentro, el exfutbolista del Bayern Münich buscaba habitualmente esta asociación mediapunta-extremo, para brindarle pases cruzados al senegalés y que este pueda destacarse con lo que mejor hace: los desmarques diagonales al espacio.

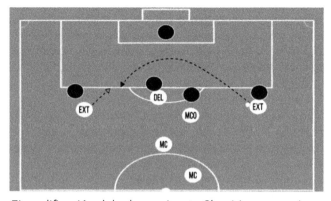

Ejemplificación del rol que ejecuta Shaqiri para asociarse a Mané desde el lado opuesto.

Diciembre es el mes que distingue a la Premier League del resto de las ligas. Esta el *Boxing Day* y los partidos con nevada torrencial. Más de un entrenador se ha quejado pero sigue la tradición de ser el momento del año donde más encuentros disputa un equipo inglés. Fue, también, el "mes Shaqiri", quien tuvo una labor destacada. Su presencia mostró una dinámica más flexible en cuanto a posiciones, debido a que los extremos no eran los principales en aportarle amplitud al equipo, sino más bien tendían a jugar hacia el centro del campo por la falta de mediocampistas interiores y, en simultáneo, eran respaldados por el doble pivote, conformado la mayoría de las veces por Fabinho y Wijnaldum. Al llevarse a cabo toda esta serie de acciones, empezaron a incorporar más futbolistas en los metros finales, habitualmente los marcadores de punta Robertson por banda izquierda y Arnold desde el sector derecho, pero de manera constante.

El tridente y sus variantes no son las únicas que erige a Liverpool como un equipo temible, pero sin lugar a dudas es parte constitutiva de la ferocidad de su juego. Hay una ambientación que el equipo realiza, para que los tres delanteros puedan exprimir sus potencialidades mediante la libertad de acción en los metros finales. Los compañeros confían en Mané, Salah y Firmino tanto como ellos en que el resto de los aspectos de juego estarán resueltos por los encargados de cuidarles las espaldas. Crear sosiego para la irrupción, orden para la expedición, firmeza para la creatividad. Liverpool encastra sus piezas como rompecabezas.

Capítulo VII

KLOPP Y PEP: EL DUELO

El afán de lucha se origina en la competencia

Leviatán (1651), Thomas Hobbes

Alejandro Sabella, fue el entrenador de Argentina, que llevó a su seleccionado a la final del Mundial 2014. En uno de los homenajes realizados a su obra, en la Universidad de La Plata, Sabella expresó un discurso muy emotivo donde, entre otras reflexiones, guardó un momento especial para agradecer a sus rivales. "Nuestros ocasionales adversarios nos obligan a mejorar. Ellos también forman parte de nuestro camino hacia una opción superadora". El fútbol, al ser un deporte de alto rendimiento y debido a su masividad, tiene una feroz competencia en cada aspecto constitutivo. Desde los juveniles que deben luchar contra sus colegas para tomar el espacio reservado para los elegidos, hasta los equipos enfrentados en el marco del juego propiamente dicho. La rivalidad suele ser pensada en calidad de destrucción del otro para salvaguardar lo propio. Los temores son reactivos para atacar desesperaramente. No se toma al contendiente como una parte importante del propio éxito.

Esta es la historia del duelo más importante de los últimos años en el fútbol internacional. Jürgen Klopp y Josep Guardiola. Hasta diciembre de 2019, han jugado 17 encuentros con ocho victorias para el alemán, seis derrotas y tres empates. Es considerado como el máximo escollo en la carrera del catalán.

Era marzo de 2018, Pep Guardiola estaba brindando una de las innumerables ruedas de prensa que los entrenadores están obligados a dar. Entre consultas por avatares de los encuentros precedentes, el rival de turno y especificidades sobre los futbolistas, un periodista decidió hablar de Jürgen Klopp. Emparentó los estilos de uno y otro, aún en la no correspondencia de Guardiola, que además contestó con halagos para con el alemán, expresando que le gustaba mucho la manera en la que Liverpool jugaba y también a los espectadores, porque en tres o cuatro segundos ya estaban atacando. Siguió diciendo que tal vez sea el mejor entrenador del mundo creando equipos que ataquen directamente, que juegan con mucha gente con y sin el balón, lo que le otorga gran intensidad. Considerando, finalmente, que es el equipo en el mundo que ataca con más jugadores de manera directa. Entre sonrisas y movimientos histriónicos, recordó la primera vez que sus equipos se enfrentaron. Fue en Alemania, 2013, a propósito de la final de Supercopa, donde el Borussia Dortmund se impuso por cuatro a dos ante el Bayern Münich. El catalán reconoció que la situación lo sorprendió, fue una gran lección para él.

Martí Perarnau, biógrafo de Josep Guardiola, recuerda haber estado en aquel encuentro. Comentó, en una entrevista exclusiva para este libro, que por una parte fue un poco engañoso y por otra muy revelador para el entrenador catalán. "Engañoso porque Guardiola llevaba tres semanas en el Bayern Münich, de pronto el día anterior al partido comprendió que habría un conflicto grave con el médico del club (como después se conoció), porque prohibió el viaje de dos jugadores que eran puntales del equipo, como Neuer y Ribery. Sin embargo, al día siguiente ambos estaban entrenando con normalidad. Ese fue el origen de lo que, en los años sucesivos, se convirtió en un conflicto con el médico por unas discrepancias de criterios que todos más o menos conocen. Aquel Bayern Münich acababa casi de aterrizar de vacaciones, estaba empezando apenas a comprender lo que Pep quería. Por otro lado, se encontró con dos puntales que se tuvieron que quedar en casa. Además, fue muy revelador para Guardiola de qué es lo que le esperaba en sus enfrentamientos contra Borussia Dortmund, porque una cosa es verlo por televisión y otra es vivirlo: enfrentarte a ello, vivir el ambiente del estadio de Dortmund, que es muy estruendoso".

Soñar que es lo que va a suceder. Según Pep, lo más divertido de su profesión. Un aspecto esencial en su metodología es el análisis exhaustivo del juego, de los rivales y de sus propios jugadores. Si el día tuviese más horas, seguramente las utilizaría para seguir trabajando porque ahí radica la diferencia entre la pasión y la profesión. Una vez derrotado, viendo levantar el trofeo al rival, no se quedó de brazos cruzados. Prontamente buscó los aspectos tácticos que definieron el encuentro. Agrega Perarnau: "¿Qué hizo? Analizar dónde el Dortmund había conseguido morder al Bayern Münich, en qué zonas. Comprendió que aquel Borussia Dortmund jugaba de una manera que él denomina "El abrazo de oso", que forma una especie de boca del lobo, de tenaza, de semicírculo entre los extremos, los interiores y el centrodelantero, donde permite que tú te introduzcas en esa zona, en esa boca y a continuación presionan, te encierran, te roban el balón y contraatacan. Allí el Borussia Dortmund era mortífero. Él comprendió eso y en los siguientes partidos intentó evitarlo".

Para el siguiente encuentro, a causa de la liga doméstica y también en Dortmund, Guardiola logró evitar la circulación por el centro del campo desactivando "El abrazo del oso". La victoria fue contundente: tres a cero. Conforme sucedieron los encuentros, comenzaba a notarse la asimetría entre un proceso que avisoraba su inevitable final y otro que se encontraba en su plenitud. Una vez que Guardiola consiguió el equilibrio entre mecanizar movimientos base y darle un marco a sus futbolistas para que puedan florecer su talento, se inclinó la balanza a su favor. El momento cumbre de la disparidad llegó en octubre del 2015, cuando Bayern Münich derrota por cinco tantos contra uno a Borussia Dortmund. La contundencia del marcador es irrelevante en comparación con la forma. Los dos goles más importantes del encuentro llegan mediante lanzamientos en largo de Boateng, salteándose la estructura organizativa que proponía Klopp. Guardiola demostró ser ese entrenador que observa y sopesa todas las variantes posibles para ganar un juego. Como nos aporta Martí Perarnau: "Ahí se vio que Guardiola había conseguido saltearse esas virtudes del Borussia Dortmund. También hay que añadir que Borussia Dortmund estaba en una fase de decadencia profunda. Discrepo mucho de aquellos que dicen que la decadencia fue por los fichajes de Mario Götze y Lewandoski por el Bayern Münich, porque Borussia

Dortmund se reforzó de maravilla, fichó jugadores extraordinarios como Aubameyang. Simplemente, Klopp estaba muy agotado y sus jugadores también. El equipo había entrado en decadencia y había dejado de ser rival en la Bundesliga ante el Bayern Münich de Guardiola".

Martí continúa su reflexión: "Posiblemente no encontremos en la historia del fútbol alguien que haya dominado tanto las ligas como Guardiola: ganó tres de cuatro en España, ganó tres de tres en Alemania, lleva ganadas dos de tres en Inglaterra y, sobre todo, ya no es la cantidad de ligas que ha ganado de manera continuada y seguida, sino contra quién. Puedes ganar muchas ligas seguidas contra contrincantes sencillos, pero estamos hablando del Real Madrid de Mourinho, del Borussia Dortmund de Klopp, del Liverpool de Klopp. Equipos que han llegado o rozado los cien puntos, posiblemente no encontremos a nadie que haya dominado la liga de este modo. Entonces es evidente que Guardiola crece y mejora, como todo deportista, en la gran competencia. Si el Manchester City ganase la Premier League con treinta puntos de ventaja sobre el segundo clasificado cada año... ahí no se mejora, se mejora con ligas como la de la temporada pasada, que fue por un suspiro, o como la actual donde vuelve a ser un pulso muy fuerte. Eso también mejora a Klopp, gracias a que es un gran entrenador ha llevado a Liverpool a los 97 puntos y eso ha provocado que el Manchester City tuviera que ganar los últimos 14 partidos de liga. Pensar que solo puedes ganar la liga, si puedes ganar tus últimos 14 partidos seguidos es una barbaridad. Eso lo ha provocado Klopp y Guardiola, cada uno en el contrincante".

En lo tangible, la diferencia a favor de Bayern Münich era evidente, pero en lo estrictamente pragmático no.

La travesía entre ambos competidores finalizó con cuatro victorias para Pep, tres para Klopp y un empate. Finalmente Jürgen dejaba su lugar.

VII. I *God save the Queen*: nueva historia en Inglaterra.

El germen de la rivalidad entre ambos se creó en Alemania, pero creció, se desarrolló y cobró interés capital en tierras inglesas. La llegada de Guardiola a Manchester causó una revuelta pocas veces vista en el mundo del fútbol por la llegada de un entrenador. Era un *rockstar*: videos sorprendiendo a aficionados en automóviles, documentales, libros y una entrevista con el mismísimo cantante Noel Gallagher. En ella, Guardiola comenta: "Todo el mundo dice que no me voy a adaptar, pero para eso estoy aquí, para intentar hacerlo. Algunos confían y otros, como pasó en Alemania, dicen que la forma en que juego no podrá adaptarse a la Premier League. Y me dije: '¿por qué no?' Vamos a intentarlo. Será un gran desafío". En esta oscilación entre el escepticismo fanático y la fe del creyente que atraviesa los análisis sobre el guardiolismo, había un villano perfecto. No era Klopp, que llevaba diez meses en Liverpool. Era José Mourinho, con quien había tenido una rivalidad novelezca, de Capuletos y Montescos, en España y la ilusión era una reedición en la misma ciudad. No obstante, fue Antonio Conte quien dio por tierra todos estos posibles guiones, proclamándose campeón de la Premier League junto a su Chelsea. La construcción del Manchester City iba a llevar más que un puñado de encuentros, esos primeros diez consecutivos ganados, que esperanzaban a todos. Tapados por el brillo de tantas estrellas, en Merseyside estaba naciendo un equipo del que pocos esperaban competitividad. Se comenzaba a gestar un duelo épico.

En la competencia una de las claves es la adaptabilidad y la capacidad de cambio. Tanto el estilo como la esencia se mantuvieron, pero ambos fueron cambiando aspectos que eran puntos débiles. Los contextos cambiaron: ya no era Alemania, incluso las situaciones de las instituciones se modificaron. Guardiola tratando de crear una identidad en Manchester City a base de trabajo, conocimiento y con un gran apoyo económico de los dueños. Klopp intentaba levantar un gigante dormido con su positividad, su carisma y, también, sus buenas técnicas de entrenamiento. El primero contrató futbolistas que le aportaban mayor dinamismo, entonces las transiciones comenzaron a gustarle. El otro, pudo adoptar una posesión más fuerte. Como comenta Perarnau: "El estilo es el mismo en ambos casos pero evidentemente han cambiado. Por una parte, la Bundesliga tiene más intensidad que la Premier League, es una liga en la que se juega más rápido, con un juego de ida y vuelta constante, con ataques y contraataques. Cosa que no ocurre en Premier League, donde el juego también es bastante directo, pero se buscan más las segundas jugadas que el ataque y contraataque constante como en Alemania. En este sentido, ambos entrenadores han introducido cambios en su estilo pero son modificaciones que le permiten ser reconocibles igual que siempre. El Manchester City de Guardiola sigue jugando con el estilo de Pep pero, por ejemplo, es posiblemente el equipo que más contragolpea de toda Inglaterra. No tengo cifra exacta pero posiblemente no encontraremos un equipo que realice tantos contraataques como el Manchester City, porque acostumbra dominar los partidos pero de vez en cuando se toma un respiro, baja un poco el bloque y a partir de ahí, en cuanto recupera, lanza contraataques. Por su parte, el Liverpool de Klopp ha introducido un poco lo que le faltaba al Borussia Dortmund, que era control con el balón. Borussia Dortmund empezó a degradarse cuando los equipos pequeños de la Bundeliga le regalaban el balón y los hombres de Klopp no sabían qué hacer con él. Klopp, que es un personaje muy listo, vio que ese era un déficit que si lo volvía a cometer con Liverpool le iba a costar caro. Entonces ha introducido jugadores que se sienten cómodos no solo con el *gegenpressing*, con el contraataque y con el juego veloz, sino que también saben manejar el balón, dar secuencias de pase, etcétera. Digamos que ambos han utilizado un poco las herramientas del contrincante".

Aunque prefiere matizar, diciendo que no han tomado cosas el uno de otro, porque el contraataque no lo ha inventado Klopp ni las secuencias de pase las inventó Guardiola, sino que han tomado herramientas preexistentes. El Liverpool no practica el juego de posición, pero lo que está buscando es que su equipo no se sienta incómodo y sin *confort* en el campo cuando tiene el balón en sus pies y el equipo contrario está muy replegado. Eso sí le ocurría al Borussia Dortmund en los últimos años y al primer Liverpool de Klopp. Cuando un equipo menor de la liga inglesa, de la parte inferior de la tabla, le regalaba el balón: empezaban sus problemas porque los jugadores no sabían muy bien qué hacer. Sin embargo, hoy en día se encuentran más cómodos porque han aprendido a dar pases con el balón sin sentir esa incomodidad, esa sensación de que no estaban practicando su juego natural.

El constraste entre Klopp y Guardiola es total. Si bien ambos tiene un liderato carismático, con equipos abocados al ataque y la vocación de entrega se encuentra tanto en Liverpool como en Manchester City, uno llega a los futbolistas con un impacto emocional y el otro opta por lo argumental. Es decir, los entrenamientos de Jürgen realzan el esfuerzos corporal, potenciar al futbolista para el aquí y ahora mientras que Pep utiliza la mecanización. Lo que vuelve relativa cada diferencia es que cada uno con su método logra sacar lo mejor de los jugadores. Logran hacerlos parte de un todo, pelear por mejorarse y mejorar a sus compañeros. Es curioso como desde distintas perspectivas se puede convencer a grupos tan heterogéneos. Según Martí Perarnau: "Pep es un enfoque técnico-táctico, cómo mejorar todos los pequenos detalles técnicos-tácticos que se dan durante el juego: eso significa todo, desde cómo te perfilas, cómo posicionas el cuerpo, con qué pierna controlas, con qué piernas pasas. En fin, todo el pequeño sumatorio de detalles técnico-táctico que después hacen que jugadores como Sterling den un salto cualitativo que no recordemos como eran antes porque ahora son totalmente distintos. Esa metodología filtra todo el entrenamiento, de todos los minutos, de todos los días, de todos los años. Cada jugador, como cada ser humano, es distinto, rinde mejor o peor, da un salto cualitativo mayor o menor. En el caso de Klopp, su metodología es mucho más física, menos técnico-táctica, sus entrenamientos son muchos más físicos (en el concepto clásico de la palabra) que los de Guardiola. Su aproximación al jugador también es más física, de búsqueda de la intensidad, de la carrera, del esfuerzo, del 100 % constante. En este sentido es menos técnico-táctica que la de Guardiola, y la progresión de sus jugadores, que también es muy notable, acostumbra a ir más por la vía física que por la vía técnico-táctica. Siempre hay excepciones, como Salah, que técnicamente ha mejorado mucho respecto al que jugaba en la Roma. Pero la mayoría tiene una mejora más por la vía física que, en el caso de Guardiola, es más por la vía técnico-táctica".

Perarnau continúa con una gran reflexión global acerca de la labor de los entrenadores: "Eso forma parte de los rasgos de todo gran entrenador de cada deporte. Si vamos al baloncesto, los jugadores de Popovich dirán lo mismo que dicen los jugadores de Guardiola o de Klopp. Y si vamos a los jugadores brasileños de voleibol, seguro dirán lo mismo de su entrenador: porque todo gran entrenador solo puede serlo si es capaz de favorecer el crecimiento individual deportivo y personal de sus jugadores. Es la única manera que un equipo alcance estos niveles de excelencia. Cuando un equipo de cualquier deporte pretende llegar lejos, esa condición es fundamental en el entrenador. Si no la tiene, si no es capaz de llegar al corazón de los jugadores, de hacerles entender que la exigencia es lo que les hará mejores, si no es capaz de transmitirle mucho cariño y mucha pasión, será imposible que ese equipo llegue arriba".

VII. II Potenciar al otro es potenciarse a uno mismo.

El arquetipo de las rivalidades deportivas tiene como protagonistas a los pilotos Alain Prost y Ayrton Senna. Las rencillas comenzaron en 1988 con el fichaje del brasileño por Mc Laren, misma escudería que Prost, y especialmente en el Gran Premio de Portugal con una maniobra que molestó al francés. Un año más tarde, en el Gran Premio de San Marino, los problemas llegaron al punto que Prost decidió irse a Ferrari. El Gran Premio de Suzuka los enfrentó dos años consecutivos, colisionando. En 1989 a Senna le quitaron la carrera y lo dejaron sin chances de ganar el trofeo que terminó levantando Prost, gracias a un veredicto federativo. Un año más tade volvieron a chocar, tiempo después Senna admitió que lo había premeditado a modo de venganza. A Prost la maniobra le pareció tan asquerosa que pensó en retirarse. No fue así, pero pronto lo despidieron de Ferrari y se tomó un año sabático para terminar firmando con la escudería de punta: Williams. Senna también buscaba ese objetivo, puesto que Mc Laren ya no podía competirle, pero el francés tenía una cláusula contractual que no permitía a Senna como compañero de equipo. Senna lo acusó de cobarde.

El Gran Premio de Australia de 1993 fue la última carrera de Prost. En lo más alto del podio Senna lo buscó para fundirse en un abrazo. Poco tiempo después, admitió la motivación extrema que le había provocado esta lucha competitiva. A los pocos meses, durante el Gran Premio de San Marino, Ayrton Senna muere en plena carrera. Prost fue portador del féretro en el funeral del brasileño, declarando que una parte de sí mismo también había fallecido.

Claro que la relación entre los entrenadores no llegó al extremo del ejemplo ni mucho menos, el mismo Martí Perarnau, quien pudo estar en los entretelones de la relación, lo comenta: "Guardiola tiene una gran opinión de Jürgen. Ellos no son amigos, porque para serlo se tienen que dar determinadas circunstancias. Por ejemplo con Tuchel, éste se dedicó un año sabático a visitar entrenadores y Pep tuvo la posibilidad de establecer una relación personal más estrecha, pero no porque le caiga mejor o peor sino porque se dio esa circunstancia de la visita. Si estás todo el día compitiendo con el otro es difícil encontrarte para tomar un café y ser amigos. Por otro lado, desde el primer día tienen una magnífica relación, muy abierta y buena. Para mi primer libro llegué a Klopp a través de Pep; se lo pedí, hizo la gestión y el otro estuvo encantado. He detectado siempre una relación muy buena entre ambos. Yo no quiero definirlos políticamente, pero es evidente que su visión del mundo, de la sociedad y del ser humano es muy coincidente. Hemos escuchado o leído de Klopp afirmaciones muy meridianas de su pensamiento político y el de Pep casi diría que lo hemos visto más claramente, sea con la crisis de los refugiados en el Mediterráneo o con los presos políticos en Catalunya. En este sentido están en el mismo bando sin ninguna duda".

Es evidente que pensar el *versus* como una barrera que divide lo bueno de lo malo, lo que se debe hacer de lo que no, es un craso error. La temporada 2018-2019 fue la primera vez que un equipo de Guardiola sale campeón sin poseer la valla menos vencida, puesto que Liverpool finalizó con solo 22 goles en contra, 16 menos que en la temporada anterior. Además, mantuvo la portería en cero en 21 oportunidades. En solo tres encuentros le marcaron más de un gol. Fueron dos tantos cada vez. En las estadísticas ofensivas también se observan datos favorables para los rojos, que tuvieron en simultáneo a los dos goleadores de la competencia, junto a Pierre-Emerick Aubameyang, con 22 anotaciones cada uno: Salah y Mané. Todo aquello que se pueda escribir para enorgullecer la labor demostrada durante tantos encuentros también será un motivo más para dejar un sabor agridulce en la boca, puesto que, salvo su contrincante, nadie hizo más méritos desde la creación de la Premier League para levantar el trofeo. En cualquier otra edición hubiese sido campeón, salvo en la temporada anterior, donde Manchester City alcanzó los 100 puntos. Ni siquiera el Arsenal de 2003-2004, único inglés campeón invicto de la era moderna, sacó más puntos que este Liverpool. Llegó a 90. También hubiese superado a los otros campeones con más puntaje: Manchester United 93/94 (92), Chelsea 04/05 (95), Chelsea 16/17 (93). La temporada anterior llegó a 75. Lo máximo conseguido por la institución, en Premier League, fue 86 en la 2008-

2009. Con todo lo que hizo no alcanzó, aunque siempre se debe destacar el recorrido además de la meta. El fútbol puede ser muy cruel, aunque también justo. Por eso, muy merecídamente, pudo levantar la Champions League.

El rival, finalmente, es una parte de nosotros. Sin el otro no habría espacio para la competición, por lo tanto no podría haber mejora. La competencia apoya al potenciamiento propio y ajeno. Es una retroalimentación. En antropología hay una categoría elemental llamada alteridad. Entre otros aspectos, significa un tipo particular de diferenciación. Tiene que ver con la experiencia de lo extraño en relación a los otros. Es que un ser humano es reconocido como miembro de una sociedad más que por sus particularidades o a sus propiedades naturales. Es resultado y creador de un proceso histórico específico, único e irrepetible (Boivin, Rosato, Arribas; 2004). Por el modo en el que estamos educados, cada individuo está siempre en una actitud de confrontación. Como expresaba Edmund Leach, hay un "Yo" que se identifica con un colectivo de "Nosotros", que se contrasta con algún "Otro". Un equipo se construye, entonces, también en reflejo de los demás. Hay una confrontación que forma. Al dar entidad a los demás, nos damos identidad a nosotros.

La historia de Klopp y Guardiola seguirá ligada por muchos años, hay un entrelazamiento de formas, estilos, abordajes, que resultan atractivos para el espectáculo. El afán por ganar, por atacar, por ser superiores al rival y, sobre todo, a uno mismo, los catapulta como los mejores entrenadores de la actualidad. Todo gran estratega necesita un contendiente que lo ponga en aprietos para ver hasta qué punto puede desarrollarse, evolucionar. Por suerte, estos dos entrenadores se tienen el uno al otro.

BIBLIOGRAFÍA

Bibliografía utilizada

www.es.uefa.com
www.theguardian.com
www.archiv.rhein-zeitung.de
www.indirekter-freistoss.de
www.joe.co.uk
www.liverpoolecho.co.uk
www.thisisanfield.com
www.elpais.com
www.elmundo.es
www.goal.com
www.marca.com
www.express.co.uk
www.mundodeportivo.com
www.elespanol.com
www.metro.co.uk
www.telegraph.co.uk
www.dailymail.co.uk
www.bbc.com
www.90min.com
www.deportes.canalrcn.com

www.liverpoolfc.com
www.eurosport.co.uk
www.fourfourtwo.com
www.8by8mag.com
www.spox.com
www.bild.de
www.11freunde.de
www.bvb.de
www.zeit.de
www.dw.com
www.espn.com
www.kicker.de
www.abc.es
www.eluniverso.com
www.wn.de
www.tribuna.com
www.welt.de
www.mlssoccer.com
www.as.com
www.football365.com
www.extra.ie
www.bavarianfootballworks.com
www.es.mancity.com
www.businessinsider.com
www.boston.com
www.directvsports.com
www.fr.de
www.nemzetisport.hu
www.spiegel.de
www.faz.ne
www.fourfourtwo.com
Documental "End of the century" (2003)

Lightning Source UK Ltd.
Milton Keynes UK
UKHW020712071221
395242UK00013B/1543